KU-675-557

Inhalt

Heinrich Manns Roman *Der Untertan* liegt unter Nr. 256 im
Deutschen Taschenbuch Verlag (München 1964 [u. ö.]) vor.
Die Seiten- und Zeilenangaben im Kommentar beziehen sich
auf die 35. Auflage 1993, die mit den früheren Auflagen nicht
seiten- und zeilenidentisch ist.

Universal-Bibliothek Nr. 8194
Alle Rechte vorbehalten
© 1993 Philipp Reclam jun. GmbH & Co., Stuttgart
Gesamtherstellung: Reclam, Ditzingen. Printed in Germany 1993
RECLAM und UNIVERSAL-BIBLIOTHEK sind eingetragene
Warenzeichen der Philipp Reclam jun. GmbH & Co., Stuttgart
ISBN 3-15-008194-7

100001782 x

Heinrich Mann
Der Untertan

Von Frederick Betz

Philipp Reclam jun. Stuttgart

I. Kommentar, Wort- und Sacherklärungen

Abgesehen von der Kindheit und Jugend der Hauptfigur Diederich Heßling umfaßt die *erzählte Zeit* dieses *satirischen Zeitromans*, dessen ursprünglicher Untertitel »Geschichte der öffentlichen Seele unter Wilhelm II.« lautete, die Jahre 1890–97. Heßling ist etwa 1870 geboren und zählt damit zu der Generation, der sein Idol, der Kaiser (geb. 1859), aber auch Heinrich Mann (geb. 1871) selbst zugehören. Am Anfang des 1. Kapitels wird auf Bismarck als den noch im Amt befindlichen Reichskanzler angespielt (vgl. Anm. zu 13,30 f.); am Ende dieses Kapitels ist Heßling Zeuge der Arbeitslosenunruhen Ende Februar 1892 in Berlin (Anm. zu 52,28). Bezug wird weiterhin genommen auf den Fall Lück Anfang Februar 1892 (Anm. zu 133,15), die Militärvorlage von 1892/93 (Anm. zu 165,12 f., 231,27 f., 351,2 f., 399,10), die Romreise des Kaisers im April 1893 (Anm. zu 343,2 f.), die Auflösung des Reichstags am 6. Mai 1893 wegen dessen Weigerung, die Militärvorlage zu verabschieden (Anm. zu 351,2 f.), die Neuwahlen am 15. Juni 1893 (Anm. zu 395,34), die Umsturzvorlage von 1894 (Anm. zu 412,9 f.), die Affäre Kotze 1892–94 (Anm. zu 415,22), das Erscheinen des »Sanges an Ägir« im Juni 1894 (Anm. zu 428,6) und den 100. Geburtstag Wilhelms I. am 22. März 1897 (S. 430). Heßlings Kinder sind 1894, 1895 und 1896 geboren (S. 418 f.). Daß es sich hier aber nicht einfach um einen Schlüsselroman für einzelne historische Figuren und Ereignisse handelt, soll nachdrücklich betont werden (vgl. hierzu z. B. Manfred Hahn, Nachwort zum *Untertan*, 1976, S. 467; Emmerich, S. 10, 32; Peter-Paul Schneider, Nachwort zum *Untertan*, 1991, S. 496).

Der »Untertan« (vgl. Anm. zu 58,17 f.) Diederich Heßling ähnelt seinem Kaiser in zahlreichen Details; es handelt sich um mehr oder weniger versteckte *satirische Parallelen* zur physischen Schwäche und psychologischen Veranlagung, zur Physiognomie, zum Verhalten, zu persönlichen Marotten,

vor allem aber zum Redestil Wilhelms II. Hartmut Eggert
hat überzeugend gezeigt (S. 299, 303), daß Mann mit großer
Wahrscheinlichkeit die Auswahl von Wilhelm Schröder
(1907) als Hauptquelle für die zahllosen *Kaiserzitate* in seinem Roman benutzt hat, meint aber, daß es nur im Rahmen
eines Apparates oder Kommentars zu einer historisch-kriti-
schen Ausgabe des Romans möglich wäre, alle Parallelstellen
aufzuweisen (S. 306). Hinweise auf Kaiserzitate im Roman
finden sich auch besonders bei Siefken (1973) und Weisstein
(1973), vor allem aber bei Süßenbach sowie Dehem (1955),
der in seiner in der Heinrich-Mann-Forschung weitgehend
unbekannten französischen Schulausgabe – die aber nur
Auszüge, etwa ein Fünftel des Romantextes (mit Zusam-
menfassungen von Übergängen), enthält – im allgemeinen
nach der Ausgabe des Reclam-Verlags von Penzler bzw.
Krieger (1897–1913) zitiert. Im vorliegenden Kommentar
werden (im Anschluß an Eggert) Kaiserzitate nach Möglichkeit durch Schröder, aber auch (wo angemessen) durch Penzler sowie Johann (1966) belegt.

5,2 *Diederich Heßling:* Manns Notizbuch von 1906/07 (s.
S. 79 des vorliegenden Bandes) enthält S. 1/2 die Überschrift »Der Unterthan Roman Diederich Hänfling«
(dahinter durchgestrichen: »der Deutsche«). Der Name
»Hänfling« ist über den Namen »Demmling« geschrieben;
»Diederich Heßling« erscheint auf S. 2, allerdings durchgestrichen. Vgl. hierzu Inés Schmieds Brief an Mann vom
3. 9. 1906: »Der Name Unterthan für Dein Buch gefällt
mir sehr, aber nenne bitte Diederich Heßling nicht
Demmling. Demmling klingt gesucht, man muß an dumm
denken, aber Heßling klingt, finde ich, so philisterhaft
gehässig, muffig« (zit. nach *Heinrich Mann 1871–1950,*
S. 125). Zur Assoziation des Namens mit »Haß« vgl.
Manns Roman *Die Armen* (1917), S. 24; s. ferner S. 118 f.
des vorliegenden Bandes. Zur möglichen Parallele mit dem
Führer des Bundes der Landwirte (einer 1893 gegründeten
mächtigen Interessenvertretung der deutschen Landwirt-

schaft), Dr. Diederich Hahn (1859–1918), vgl. Puhle,
S. 296; ferner Eggert, S. 309. Heßling soll nach Mann
»der durchschnittliche Neudeutsche sein« (Brief vom
31. 10. 1906 an Ludwig Ewers); der Roman stelle »den
Werdegang des normalen Deutschen von heute« dar
(»Unsere Schriftsteller bei der Arbeit. Eine Rundfrage«,
in: *Berliner Tageblatt* Nr. 654 vom 24. 12. 1911, 4. Beibl.).

5,2–4 *ein weiches Kind . . . an den Ohren litt:* vgl. Emil Ludwig über Wilhelm II.: »das linke Ohr und die linke Kopfseite schmerzten das Kind« (S. 11); »wiederholt muß er bei großen Anlässen wegen seines Ohrenleidens fehlen« (S. 36). Hinsichtlich der physischen Schwäche, die zum psychologischen Ausgangspunkt für die gesamte Entwicklung wird, sind der Untertan Diederich Heßling und sein Kaiser Leidensgenossen; vgl. hierzu Süßenbach, S. 46: »Beide entwickeln aus der ›Defensive [. . .] eine offensive Haltung‹ [Ludwig, S. 195], indem sie ihre Schwächen durch den Anschein von Stärke zu vertuschen suchen.« Zur »Soziogenese des autoritären Charakters« vgl. Emmerich S. 45. Zum *Untertan* als »Bildungsroman der autoritären Persönlichkeit« vgl. Vogt (1978), bes. S. 32–35; als »parodistische Umkehrung des bürgerlichen Bildungsromans« vgl. Emmerich, bes. S. 51 f., 60 f.

5,14 *der Vater:* Barnouw (S. 423) meint, Manns literarische Darstellung sei viel komplexer und scharfsichtiger als die spätere soziologische Analyse der Rolle des Vaters für die Herausbildung des autoritären Charakters, wie sie Theodor W. Adorno und andere in ihrer Studie *The Authoritarian Personality* (1950) vornahmen. Zur Vorwegnahme der Erkenntnisse der Sozialpsychologie der sechziger Jahre (vor allem in den Arbeiten von Alexander und Margarete Mitscherlich) vgl. Siefken (1974) S. 190 ff.

6,6 *Holländer:* Maschine zum Zerkleinern und Vermahlen der Faserstoffe bei der Papierherstellung.

6,28 *Frau Heßling:* Sie verkörpert die traditionelle Rolle der Mutter in der bürgerlich-patriarchalischen Familie. Wie Diederichs Verhältnis zur Mutter seine späteren Beziehungen zu Frauen beeinflußt, erörtern Emmerich, S. 46 f. und Vogt (1974) S. 83–88.

7,34 *Polizisten:* vgl. das kurze Prosastück *Ein Kommentar* (1922) von Franz Kafka (Titel der Erstveröffentlichung 1936: *Gib's auf!*) als Kommentar zu dieser Textstelle (erörtert bei Hauschild).

8,13 *die Schule:* »Mit der Schule beginnt der Einfluß all jener sekundären Sozialisationsinstanzen, die nicht mehr nur die Triebe und Affekte als solche zum autoritären Charakter hin modellieren, sondern diesem auch einen konkreten ideologischen Inhalt geben« (Emmerich, S. 47 f.). Vgl. aus der Entstehungszeit des Romans die Darstellung des ›Untertanen‹-Typus in Manns Roman *Professor Unrat* (1905).

11,6 *Unterdrücker:* Diederich erinnert Weisstein (1962, S. 114; 1973, S. 145) an den sadistisch-masochistisch veranlagten Schulknaben Felix in Manns 1905 verfaßter Novelle *Abdankung*. Zur humoristischen Verklärung des masochistischen Zuges in Heßling (als er schon auf der Höhe seiner Macht steht; vgl. S. 422 f.) vgl. Weisstein (ebd.).

11,7 *den einzigen Juden seiner Klasse:* Der Anteil der Juden an allen höheren Schülern Preußens betrug Anfang der achtziger Jahre 10,1 %, in den neunziger Jahren 8 %. Vgl. sonst Anm. zu 50,20 f., 113,12, 137,1 f., 169,3, 364,32 f.

11,16 *Netzig:* Laut Kurt Martens »eine typisch norddeutsche, zwischen Berlin und Magdeburg gelegene Kleinstadt der neunziger Jahre« (S. 106 des vorliegenden Bandes). Ursprünglich sollte Netzig, vielleicht in Anspielung auf den »neuen Kurs« Wilhelms II. (vgl. Anm. zu 98,8) »Neustadt« heißen. In »Netzig« klingt »Nest« (›spießige Provinzstadt‹) an. Laut Schlichting (S. 847, Anm. 13) mag die Umbenennung eine Reaktion Manns auf den zunehmenden Antisemitismus gewesen sein: »Netzig« assoziiert »Itzig«, eine Schmähbezeichnung für die Juden.

11,16 *bei geteilter Verantwortlichkeit:* vgl. S. 27 (»Er war untergegangen in der Korporation, die für ihn dachte und wollte«), S. 45 (»vom Soldatenleben begeistert«: »Das Aufgehen im großen Ganzen«), S. 51 (»nicht persönlich, sondern korporativ im Leben Fuß zu fassen«).

12,26 *Ich hatt' einen Kameraden:* Ludwig Uhlands patriotisches Gedicht »Der gute Kamerad«, das in der Vorbereitung der Befreiungskriege entstand, war im Ersten Weltkrieg das meistgesungene Soldatenlied.

12,31–33 *Der deutsche Aufsatz … Mißtrauen ein:* Heßling verdächtigt jeden, der sich so gewählt ausdrückt wie Wolfgang Buck (s. etwa S. 75); vgl. auch sein Vorurteil gegen den Roman (s. Anm. zu 334,34). In einer Rede zur Schulreform (4. 12. 1890) wollte andererseits Wilhelm II. das Studium der alten Sprachen durch deutsche Aufsätze und Übungen über Themen von nationalem Interesse ersetzt wissen.

13,2 f. *sechsundsechzig und einundsiebzig durch das Brandenburger Tor:* Der Einzug in Berlin nach dem siegreichen Krieg mit Österreich fand am 20./21. August 1866, nach dem siegreichen Krieg mit Frankreich am 16. Juni 1871 statt.

13,27 *den alten Buck verehrt:* Der alte Buck ist zu Beginn des Romans noch der wohlhabendste und angesehenste Bürger, »der große Mann von Netzig« (S. 40, 100). Er ist ein Liberaler, der 1848 auf der Souveränität der Nationalversammlung bestanden hatte und deshalb zum Tode verurteilt worden war (S. 110). Ein »Überlebender« wie der revolutionäre Dichter Georg Herwegh (S. 109), versteht er sich auch jetzt, in den neunziger Jahren, noch als »Achtundvierziger«, glaubt an die Rechte der »Mitmenschen«, an die »Menschenwürde« (S. 41), und vertritt »die Sorge um das öffentliche Wohl«, um »das Ganze« (S. 109). Für den alten Buck ist nicht Macht, sondern Moral die Leitlinie der Politik, aber gerade in seiner Redlichkeit und Naivität ist er den gegen ihn gerichteten Intrigen in Netzig nicht gewachsen, und so steht er am Ende des Romans verarmt, seines guten Rufes beraubt und politisch einflußlos da. Sein Tod symbolisiert auch den Tod des Liberalismus im deutschen Kaiserreich, doch während sein Sohn resigniert (S. 432), hat er bis zum Ende Hoffnung, die sich in seinem Glauben an den »Geist der Menschheit« begründet, der sich in der »ersten Revolution« (ebd.), der Französischen, für einen historischen Augenblick verwirklichte und der sich wieder verwirklichen werde. In diesem Geschichtsbild des alten Buck artikuliert sich Manns eigene Interpretation der Geschichte (vgl. Anm. zu 432,32, 451,25).

13,30 f. *gewisse Leute, die immer alles mit Blut und Eisen kurieren wollten:* Anspielung auf Bismarck und seine berühmte Rede vom 30. 9. 1862 in der Budgetkommission: »Nicht auf Preußens Liberalismus sieht Deutschland, sondern auf Preußens Macht. [...] nicht durch Reden und Mehrheitsbeschlüsse werden die großen Fragen der Zeit entschieden – das ist der große Fehler von 1848 und 1849 gewesen –, sondern durch Eisen und Blut« (zit. nach Mommsen, S. 50, der hierzu bemerkt: »Diese Worte [...], meist fälschlich ›Blut und Eisen‹ zitiert, sind später immer wieder allzu einseitig zum Urteil über Bismarck benutzt worden«).

14,1 *Kürassierstiefeln:* Kürassier: urspr. Reiter mit Küraß (frz. *cuirasse* ›Harnisch, Brustpanzer‹), dann allgemein schwerer Reiter. Anspielung auf Bismarck, der gern die Uniform des Halberstädter Kürassierregiments Nr. 7 trug. Mit diesem nach 1866 aufgebrachten bildlichen Ausdruck hatten zunächst die Gegner Bismarcks seine Politik als ein rücksichtsloses Draufgängertum verhöhnt; er wurde aber dann von den Verehrern des eisernen Kanzlers aufgenommen und zur Anerkennung seines kraftvollen, patriotischen Selbstbewußtseins umgeprägt. (Vgl. Anm. zu 34,8 f.)

14,3 f. *freisinnigen Gegner Bismarcks:* Gemeint ist die Deutsch-Freisinnige Partei (seit 1884), später Freisinnige Volkspartei (seit 1893) unter der Führung Eugen Richters (vgl. Bergsträsser, S. 192–195).

14,5 *Kanzler:* Heßlings erster Besuch bei Herrn Göppel in

Berlin findet also noch vor März 1890 statt: am 20. 3. 1890
wurde Bismarck entlassen.

den jungen Kaiser: Wilhelm II., seit Juni 1888 Kaiser, ist
jetzt im Roman etwa 31 Jahre alt. »Unseren jungen Kaiser« hat man ihn (der den Bürgern als die Verkörperung
des jungen Deutschen Reiches selber galt) noch bis zu seinem 25jährigen Regierungsjubiläum (1912) genannt.

14,10 *Agnes:* Der Name (eigtl. ›die Keusche, Reine‹, griech.)
war im 19. Jahrhundert durch die Dichtungen und Lieder
über Agnes Bernauer, die Geliebte Herzog Albrechts III.
von Bayern, beliebt geworden.

16,7 f. *Ich werde wohl auch nicht lange leben:* Thomas
(S. 162) vermutet, daß Agnes hier vielleicht unter dem
Einfluß des Wagnerschen ›Liebestod‹-Gedankens (vgl.
Tristan und Isolde, 1859) stehe, und weist auf die spätere
Landpartie hin, wo es ihr fast gelingt, mit Diederich einen
gemeinsamen Tod im See zu finden (S. 84 des Romans).

19,37 *Poussieren:* umwerben, den Hof machen.

26,9 *Gesundbrunnen:* im Arbeiterbezirk Wedding.

24,14 *Neuteutonen:* Zu Studentenverbindungen im Kaiserreich, d.h. (über ihre Rolle als gesellige Vereine und Förde-
rer des Bierkonsums hinaus) zu ihrer sozialen und politischen Funktion, »die mit der ›Feudalisierung‹ des Bürgertums zusammenhing«, zu den »künstlich hochstilisierten
Duellen«, »in denen das feudale Motiv klar zutage trat«,
vgl. Wehler, S. 129–131 (mit Hinweis auf Heßling). Diese
Episode im Roman erschien schon 1912 im Vorabdruck.
Obwohl dieser Vorabdruck bei patriotisch gesinnten
Staatsbürgern Anstoß erregen mußte, hatte er keine juri-
stischen Folgen. Viktor Mann berichtet in seinen Erinnerungen (1949), daß selbst die Korpsstudenten, mit
denen er damals in München verkehrte, in der Schilderung der »Neuteutonia« nur »das Bild einer lächerlichen
›Blase‹ [. . .], einer minderwertigen Verbindung von Minderwertigen«, und die »Nachäffung eines Korps, bei der
gerade die Unsitten aufs gröbste verstärkt in Erscheinung
traten« (S. 339), sahen. Er bemerkt aber auch: »Verzerrung

gehört zur Karikatur, aber sie war die krasse Verdeutli-
chung vorhandener, nicht erfundener Schwächen« (S. 340).

26,23 f. *Konkneipant:* Gast einer Studentenverbindung,
ohne die Vorrechte und Pflichten, die mit der Mitglied-
schaft verbunden sind. Im Jahre 1877 war der spätere Kaiser Wilhelm II. als Kronprinz Konkneipant beim Korps
Borussia in Bonn.

26,34 f. *beim Salamander ... nicht nachklappte:* Bei dieser
Trinkzeremonie wurden die Gläser auf der Tischplatte
gerieben, ausgetrunken und alle zugleich mit einem Schlag
niedergesetzt.

27,4 *Kommersbuch:* Sammlung von Liedern, die in studentischen Verbindungen bei den regelmäßigen Zusammen-
künften (»Kneipe«) oder feierlichen Versammlungen
(»Kommers«) zum Trinken gesungen wurden. Das Buch
war mit runden Nägeln beschlagen.

27,8 *Präses:* Vorsitzender eines Kommerses.

27,9 f. *Sie wissen den Teufel, was Freiheit heißt:* möglicher-
weise die Umformung einer Zeile aus dem burschenschaft-
lichen Lied »Stoßt an!«, im Hinblick auf die Haltung der
Bürger gegenüber studentischem Treiben: »Die Philister
sind uns gewogen meist, / Sie ahnen im Burschen, was
Freiheit heißt«.

28,7 *ein junger« Fuchs:* Ein Student, der einer Verbindung
beitrat, hieß in den ersten zwei Semestern Fuchs (also
einer, der am Anfang noch ängstlich und vorsichtig wie ein
Fuchs auftritt); danach wurde er Bursch. Jeder Fuchs
wählte sich unter den Burschen einen »Leibburschen«, der
ihn beraten und beschützen sollte und dem er als dessen
»Leibfuchs« gewisse Dienste leistete.

28,16 *Fabrik von Ansichtskarten oder Toilettenpapier:* Mann
schrieb am 31. 10. 1906 an Ludwig Ewers: »Ich habe vor,
daß er [sein Held] eine Papierfabrik haben soll, allmählich
zum Fabrizieren patriotischer Ansichtskarten gelangt und
den Kaiser auf Schlachtenbildern und in Apotheosen dar-
stellt.«

28,27 *keilen:* als Mitglied anwerben.

28,35 *pauken:* fechten. Das Fechten (die »Mensur«) mit dem
»Schläger«, einer degenähnlichen Hiebwaffe, diente in den
studentischen Korporationen der Erziehung zur Stand-
haftigkeit. Wilhelm II., der als Konkneipant am Fechtun-
terricht teilgenommen hatte (aber nicht selbst auf Mensur
stand), sagte am 7. 5. 1891 auf dem Antrittskommers des
Corps Borussia in Bonn: »Unsere *Mensuren* werden im
Publikum vielfach nicht verstanden. Das soll uns aber
nicht irre machen. Wir, die wir Korpsstudenten gewesen
sind, wie ich, wir wissen das besser« (Schröder, S. 152;
Penzler I, S. 182).

30,11–13 *über die Wange ... Glück:* Auf die Narben
der beim Fechten entstandenen Gesichtsverletzungen
(»Schmisse«) waren die Korporationsstudenten stolz.

30,30 *Formen sind kein leerer Wahn:* satirische Abwandlung
einer Zeile aus Schillers Ballade »Die Bürgschaft« (1799):
»Und die Treue, sie ist doch kein leerer Wahn«. Eine
scherzhafte Abwandlung des Zitats findet sich auch in
Fontanes Roman *Cécile* (1887), den Mann 1890 las: »Luft
ist kein leerer Wahn« (Kap. 9). Wiebels aphoristische
Bemerkung, die Heßling wiederholt (S. 30), wurde selbst
zu einem geflügelten Wort unter Münchener Korporier-
ten: man zitierte es »scheinbar tiefernst, wenn einer zu
offiziell tat« (Viktor Mann, S. 340).

31,4 *katerhaft:* Ankündigung einer leitmotivischen Karikatur des Kaisers sowie der Kaisernachahmung seiner Untertanen, wie z. B. Wiebel (S. 52) und Heßling (vgl. Anm. zu
93,9–16).

31,28 *Vindoborussen:* Der erfundene Name soll eine besonders vornehme Korporation bezeichnen. Er läßt an das
Corps Saxo-Borussia denken, das in Harry Domelas
Memoiren *Der falsche Prinz. Leben und Abenteuer* (Berlin 1927) eine Rolle spielt. Domela hatte »als Prinz bei den
Saxo-Borussen, Deutschlands exklusivstem Korps, und
später als Prinz von Hohenzollern lange in adliger Gesellschaft gelebt. Die schildert er«, schreibt Kurt Tucholsky in
seiner Rezension (*Gesammelte Werke*, hrsg. von Mary

Gerold-Tucholsky und Fritz J. Raddatz, Bd. 5, Reinbek
1975, S. 286) und stellt fest: »Kein Heinrich Mann kann
das erfinden« (ebd.). Vgl. auch Tucholskys Gedicht »Saxo-
Borussen« (ebd., S. 323 f.).
koramiert: studentensprachlich: öffentlich zur Rede ge-
stellt, getadelt.

31,30 f. *seinen Vetter von Klappke:* Auch diese Bemerkung
Wiebels (s. auch S. 52) wurde zu einem geflügelten Wort
unter Korporationsstudenten: laut Viktor Mann (S. 340)
»scholl es drohend einem anderen entgegen, der angeben
wollte«.

31,37 *Zahlmeister:* mittlerer Beamter in der Heeresverwal-
tung.

32,34 *tranken Schmollis:* (studentensprachlich) tranken Brü-
derschaft.

33,12 *in streng kommentmäßiger Haltung:* Als »Komment«
(abgeleitet von – und ausgesprochen wie – frz. *comment*
›Art und Weise‹) bezeichnete man die Gesamtheit der Sitten und Bräuche in einer Studentenverbindung.

33,19 *Tod auf dem Felde der Ehre:* Zur satirischen Pervertie-
rung der Begriffe ›Ehre‹, ›Pflicht‹, ›Opfer‹ vgl. Süßenbach,
S. 113. Siefken (1973, S. 74) interpretiert Delitzschs Tod
und Begräbnis als sprachliche Parodie der zweiten Strophe
von Ludwig Uhlands Gedicht »Der gute Kamerad«: »Eine
Kugel kam geflogen, / Gilt's mir oder gilt es dir? / Ihn hat
es weggerissen, / Er liegt mir vor den Füßen, / Als wär's
ein Stück von mir.« Vgl. auch Anm. zu 149,16–19 und
S. 451.

33,24 *der Erste Chargierte:* ein von den Burschen gewählter
Funktionär, der die Korporation nach außen vertrat und
bei Kommersen den Vorsitz führte.

33,34 *in die Kanne zu steigen:* auf Kommando zu trinken.

33,37 *Bierverschiß:* Bierverbot als Strafe.

34,8 f. *Genuß der Uniform:* Die Verehrung der Uniform ist
eine für die wilhelminische Epoche bezeichnende Passion,
die Heßling etwa auch mit Hermann Brochs Pasenow (in
der *Schlafwandler*-Trilogie, 1930–32) teilt. Sie ermöglichte

dem Schuster Wilhelm Voigt 1906 seinen berühmten Gaunerstreich, den Carl Zuckmayer in seinem Stück *Der Hauptmann von Köpenick* darstellte. Vgl. zur Uniform S. 31, 75, 166, 331, 346 f., 394 f., 438, 439.

34,21 *Halensee:* Ausflugsort im Westen Berlins.

35,9 *Knote:* derber, grober Kerl.

35,10 *Schote:* Dummkopf, Einfaltspinsel.

35,29 *satisfaktionsfähig:* von seiner gesellschaftlichen Stellung her berechtigt, einem durch ihn Beleidigten in einem Duell Genugtuung (Satisfaktion) mit der Waffe zu geben. Stimmen zur Duelldiskussion in den 1890er Jahren finden sich in den von Walter Schafarschik herausgegebenen Erläuterungen und Dokumenten zu Fontanes *Effi Briest* (Stuttgart 1972), S. 155–164.

41,15 *sein Jahr abdienen:* Wehrpflichtige mit höherer Schulbildung, die sich freiwillig meldeten und selbst für ihre Unterkunft und Verpflegung sorgten, brauchten im Kaiserreich als »Einjährig-Freiwillige« nur ein Jahr (statt zwei) Wehrdienst zu leisten.

41,22 *Sötbier:* In dem Verhältnis zwischen Heßling und seinem Buchhalter lassen sich Parallelen zu dem Verhältnis zwischen Wilhelm II. und seinem Kanzler Bismarck aufzeigen (vgl. z. B. Anm. zu 102,6 f.). In diesem Zusammenhang meint Siefken (1973, S. 76), es könnte sich bei dem Namen »Sötbier« um eine Anspielung (»a rather crude allusion«) auf Bismarcks Hang zum Trinken (»drinking habits«) handeln. Weller (S. 39) teilt mit, der Oppositionspolitiker Eugen Richter habe in der *Freisinnigen Zeitung* einmal behauptet, Bismarck sei ein Gewohnheitstrinker. Zur heftigen Auseinandersetzung Richters mit Bismarcks Wirtschaftspolitik, die er als eine »Schnapspolitik« bezeichnete (es handelte sich um die Brennereifrage im Jahre 1886), vgl. Maximilian Harden, *Köpfe*, Berlin [17]1910, Tl. 1, S. 213–216.

42,26 *Alter Herr:* Bezeichnung für das Mitglied einer Studentenverbindung nach Abschluß des Studiums.

42,29 *vor dem Stabsarzt:* Die Vorlage für die Episode der

Musterung und des Kasernenlebens lieferten Thomas Manns Erinnerungen an seine Militärzeit, die er seinem Bruder am 27. 4. 1912 mitteilte (und in seinem eigenen satirischen Roman *Bekenntnisse des Hochstaplers Felix Krull*, 1922/54, verwertet hat).

43,11/14 *Schauspieler / homosexuell:* vgl. hierzu gleichfalls Thomas Manns Brief vom 27. 4. 1912. Weisstein (1973, S. 140 f.) kommentiert: »In diesem [...] Fall schrieb also das Leben selbst die Satire, die der Dichter nur zu kopieren brauchte.«

43,25 *skrofulos:* an Skrofulose (Tuberkulose) leidend. Der Kaiser soll 1898 an einem skrofulösen Ohrengeschwür gelitten haben.

rachitisch: an Rachitis leidend, einer Erkrankung, die auf Mangel an Vitamin D beruht und zur Erweichung der Knochen führt.

44,29 f. *auf den Knien des Geistes:* Für Heßling muß sich der Geist vor der Macht erniedrigen; zu dieser Metapher, in der die Perversion von Geist und Macht erkennbar gemacht wird, vgl. Süßenbach, S. 142.

45,26 *Das Aufgehen im großen Ganzen:* vgl. die Kaiserreden vom 18.10.1897: »die völlig selbstlose Hingabe an das Ganze« (vgl. Penzler II, S. 68) und vom 7. 11. 1900: »Ihr müßt euch insbesondere gewöhnen, euch unterzuordnen, euch einzufügen in ein Ganzes« (Penzler II, S. 241).

50,6 *subversiven Tendenzen:* vgl. die Rede des Kaisers vom 28. 3. 1890: »Ich habe zu den deutschen Turnvereinen das Vertrauen, daß sie wesentlich mit darauf einwirken werden, die Leute subversiven Tendenzen zu entziehen« (vgl. Penzler I, S. 98; Schröder, S. 56, wo die Kernstelle im Druck hervorgehoben erscheint). Vgl. S. 223 u. ö.; ferner Anm. zu 52,25.

50,6 f. *Vaterlandsfeinden:* vgl. die Rede des Kaisers vom 14. 5. 1889 beim Empfang streikender Bergleute im rheinisch-westfälischen Kohlenbezirk (Penzler I, S. 54; Schröder, S. 51).

50,7 *christlich-sozialen Gedanken:* vgl. die Rede des Prinzen

Wilhelm vom 28. 11. 1887 in einer Versammlung, die der
vom Hofprediger Stoecker geleiteten Berliner Stadtmission die Mittel zur Linderung des »kirchlichen Notstandes« beschaffen sollte: »Gegenüber den grundstürzenden
Tendenzen einer anarchistischen und glaubenslosen Partei
ist der wirksamste Schutz von Thron und Altar in der
Zurückführung der glaubenslosen Menschen zum Christentum und zur Kirche und damit zu der Anerkennung
der gesetzlichen Autorität und der Liebe zur Monarchie
zu suchen. Der *christlich-soziale Gedanke* ist deshalb mit
mehr Nachdruck als bisher zur Geltung zu bringen«
(Schröder, S. 49). Zur christlich-sozialen Bewegung der
neunziger Jahre vgl. Sagarra, S. 33 f., 86 f.
50,20 f. *der jüdische Liberalismus die Vorfrucht der Sozialdemokratie:* zur »Gefahr des jüdischen Liberalismus« im
»christlichen Staat« vgl. Sterling (S. 110 f.), die die Verschiebung der theologischen Begriffe in der ersten Hälfte
des 19. Jahrhunderts in die Sphäre der gesellschaftlichen
und politischen Theorien untersucht. Schröter (1967,
S. 76) verweist darauf, mit welchem Bedacht Mann die
Tendenzen der Epoche in diesem Satz prägnant zusammengezogen habe, indem er das antiliberale und antisemitische Programm Adolf Stoeckers (vgl. Anm. zu 50,22 f.)
mit einer Äußerung Bismarcks verband, der am 17. 9. 1878
vor dem Reichstag »den Fortschritt« als »eine gute Vorfrucht für den Sozialismus« brandmarkte (und in der
Reichstagsrede vom 24. 1. 1887 wiederholte: »Der Fortschritt ist die Vorfrucht der Sozialdemokratie«; beide
Zitate nach Süßenbach, S. 149). Von Oktober 1878 bis
Oktober 1890 war die Sozialdemokratie verboten. Mann
hatte Mitte der neunziger Jahre als Mitarbeiter und Redakteur der konservativ-reaktionären Zeitschrift *Das Zwanzigste Jahrhundert* selbst antisemitische und antisozialistische Anschauungen vertreten, sich aber von ihnen
schon in den neunziger Jahren abgewendet. Weisstein hat
schon 1962 (S. 112) darauf hingewiesen, daß Mann ganze
Teile dieser Zeitschrift ohne Bruchstelle satirisch in den

Untertan übernommen hat; zu Manns selbstkritisch-satirischer Verfahrensweise vgl. Weisstein (1973) S. 136 bis 138.

50,22 f. *Hofprediger Stöcker:* Adolf Stoecker (1835–1909), protestantischer Theologe und Politiker, 1874–90 Hof- und Domprediger in Berlin, gründete 1878 die konservative und antisemitische Christlich-Soziale Partei.

50,35–37 *Das Handwerk … wie vor dem Dreißigjährigen Krieg:* leicht abgewandeltes Zitat aus der Kaiserrede vom 28. 2. 1889 zur Neuorganisation des deutschen Handwerks (Schröder, S. 50; Penzler I, S. 43). Vgl. Anm. zu 442,25 f.

51,6 *Die jüdischen Mitbürger:* Die Juden hatten erst Ende der sechziger Jahre des 19. Jahrhunderts die staatsbürgerliche Gleichberechtigung erlangt. Zum Antisemitismus im Kaiserreich und zur systematischen Ausschließung von Juden aus Machteliten und Führungspositionen im Staat vgl. *Die Juden als Minderheit in der Geschichte*, bes. S. 251 f., 263, 265.

51,10 *das Prinzip des Bösen selbst:* Zur Dämonisierung der Juden vgl. bes. Trachtenberg, S. 11–53.

51,36 *Stöcker … im Eispalast:* Anspielung auf die Volksversammlung zur Begründung der Christlich-Sozialen Partei im Eiskeller, in der Berliner Chausseestraße, am 3. 1. 1878, wo Stoecker zum erstenmal vor den sozialistischen Massen Berlins auftrat (vgl. Frank, S. 43–47).

52,7 *Die Sozialdemokratie nehme ich auf mich:* Laut Schröder (S. 55) wurde aus der Zeit der sozialreformerischen Februar-Erlasse des Kaisers von 1890 (s. Anm. zu 54,15 f.) kolportiert, daß der Kaiser dies gesagt habe. Vgl. im Roman S. 216, 360, ferner S. 234, wo Heßling Napoleon Fischer zur Sozialdemokratie schlechthin deklariert.

52,9–11 *Das Militär … schießen muß:* Laut Berliner *Lokalanzeiger* vom 8. 12. 1891 sagte Wilhelm II. am 23. 11. 1891 vor Rekruten: »Mehr denn je hebt *der Unglaube* und *Mißmut sein Haupt im Vaterlande empor*, und es kann vorkommen, daß ihr eure eigenen *Verwandten und Brüder*

niederschießen oder -stechen müßt« (Schröder, S. 12). Die
Neißer Zeitung zitiert: »Bei den jetzigen sozialistischen
Umtrieben kann es vorkommen, daß ich euch befehle,
eure eigenen Verwandten, Brüder, ja *Eltern niederzuschie-
ßen«* (Schröder, S. 12 f.).

52,19–21 *die Nörgler . . . Staub von ihren Pantoffeln schütteln:* leicht abgewandeltes Zitat aus der Kaiserrede vom
14. 2. 1892 (Schröder, S. 96). Das auf die Bibel (Mt. 10,14,
Jes. 52,2) zurückgehende Bild wird von Heßling mehrfach
aufgegriffen (vgl. S. 172, 302, 330). »Nörgler«, ein Lieb-
lingswort des Kaisers (vgl. z. B. Reden vom 22. 3. 1897;
4. 12. 1900), dient im Roman als Leitmotiv zur Bezeichnung von Opposition in jeder Form (vgl. z. B. S. 120, 163,
172, 191, 193, 217, 275, 331, 365, 386, 424 f., 442).

52,25 *gegen den inneren Feind:* In seiner Rede vor Rekruten
am 23. 11. 1891 sagte der Kaiser: »[. . .] denket daran, daß
die deutsche Armee gerüstet sein muß *gegen den inneren
Feind* sowohl als gegen den äußern« (Schröder, S. 12). Vgl.
S. 57, 59, 73, 98, 149, 301.

52,26 f. *Auf die Armee . . . kann der Kaiser sich verlassen:* In
einer Rede vom 18. 4. 1891 zitierte Wilhelm II. das Wort
seines Großvaters über die Armee: »Das sind die Herren,
auf die ich mich verlassen kann« (Schröder, S. 5).

52,28 *Februartagen:* Laut Schröter (1967, S. 76) mochte
Mann die Arbeitslosenunruhen des Jahres 1892 (26. 2. bis
1. 3.) selbst erlebt haben. Diese Episode erschien schon
1912 im Vorabdruck.

54,14 *Friedrichdenkmal:* Denkmal Friedrichs des Großen
(Friedrich II., König von Preußen, 1712–86), Unter den
Linden.

54,22/24 *Fenster eines Cafés / Arbeiter:* Ein persönliches
Erlebnis Manns lag dieser Szene zugrunde (s. S. 78 des
vorliegenden Bandes).

54,33 *Das ist doch Wilhelm:* Wilhelm II. wird sonst nur noch
zweimal ausdrücklich genannt im Roman, und zwar in der
Verteidigungsrede Wolfgang Bucks (S. 223, 225); meistens
heißt es nur »der Kaiser« oder »Seine Majestät«.

54,9 *das Tempelhofer Feld:* Exerzier- und Paradeplatz der Berliner Garnison, südlich der Stadtmitte.

54,15 f. *in den Erlassen vor zwei Jahren:* In den ersten Jahren seiner Regierung versuchte der Kaiser, die Sozialdemokratie durch Reformen überflüssig zu machen. Um die Arbeiter »gegen eine willkürliche und schrankenlose Ausbeutung der Arbeitskraft« zu schützen (14. 2. 1890), ordnete er in den Erlassen vom 4. 2. 1890 die Einführung einer Art Mitbestimmung an, um ihnen »den freien und friedlichen Ausdruck ihrer Wünsche und Interessen« zu ermöglichen (14. 2. 1890), sowie die Berufung einer internationalen Arbeiterschutzkonferenz (15.–29. 3. 1890).

54,28 f. *zum Statieren bei einer Allerhöchsten Aufführung befohlen:* d. h. als Statisten (stumme Nebenrollen) bei einer Aufführung, in der der Kaiser die Hauptrolle spielte (die »Allerhöchste« Person des Kaisers galt offiziell als der Vertraute und Auserwählte des »Höchsten«, also Gottes).

54,32 f. *versteinte seine Züge, sein Auge blitzte:* Hier kündigen sich zwei Leitmotive an, die im Roman bei jeder Erwähnung des Kaisers, oft auch beim Auftreten Heßlings (in der Nachahmung des martialischen Gesichtsausdrucks des Kaisers), anklingen.

54,34 *der von Gott gesetzte Herr:* vgl. die Kaiserrede vom 21. 4. 1890: »daß in unserem Hause die Tradition herrscht, daß Wir Uns als von Gott eingesetzt betrachten« (Penzler I, S. 101); ähnlich die Rede vom 24. 2. 94 (Penzler I, S. 265).

56,2 *War Gott mit ihm:* vgl. Brief des Paulus an die Römer: »Ist Gott für uns, wer mag wider uns sein?« (8,31); ferner die Kaiserrede vom 8. 9. 1906: »Gott war mit uns, und ihm sei die Ehre!« (Krieger, S. 37).

56,6 *Napoleon in Moskau:* In Wirklichkeit war Moskau beim Einzug Napoleons im September 1812 fast menschenleer.

56,10 *Theater, und nicht mal gut:* Ein junger Künstler gibt den angemessenen Kommentar zum Theatralischen des Vorgangs.

56,34 *Sedan:* Bei Sedan im Nordosten Frankreichs fand am 1. 9. 1870 die entscheidende Schlacht des Deutsch-Französischen Krieges statt, nach der Napoleon III. kapitulierte. Der Gedenktag dieser Schlacht wurde im Kaiserreich jedes Jahr festlich begangen.

57,15 *Hurra!:* Die Kaiserreden schlossen oft mit dreifachem »Hurra!« »Hurrapatriotismus« wurde seit Ende des 19. Jahrhunderts zu einem beliebten Schlagwort. Ein Kapitel von Manns Berliner Roman *Im Schlaraffenland* (1900) trägt die Überschrift »Das ›Café Hurra‹«.

58,17 f. *der Kaiser, vom Pferd herunter:* »Von oberster Instanz wird Diederich hier zum Untertan erklärt, seine Rolle bestätigt« (Nägele, S. 32). »Der Kaiser ›durchbohrt‹ ihn. [. . .] Er sieht Diederichs Nacktheit und erkennt in ihr die eigene Nacktheit und Schutzbedürftigkeit«: zum Motiv der Nacktheit im Roman vgl. Dehem (1982) S. 39 ff. (s. S. 77 des vorliegenden Bandes). Zum Kapitelschluß vgl. auch Emmerich, S. 89 f.; Wolff, S. 92 (»Das Titelbild von Piatti vermag nur einen Aspekt der Untertanenproblematik zu erfassen [. . .]. Nicht erfaßt wird dagegen Heßlings Verhältnis zu seinen Untergebenen«).

65,12 *Agnes!:* Emmerich (S. 111, Anm. 31) schreibt: »Die ganze Agnes-Episode verweist emphatisch auf den Zusammenhang von Lieben = Wahrheit und Nicht-Lieben = Unwahrheit, falschem Leben, wie der Autor ihn sieht. Übrigens sind in der reichen Literatur zum ›Untertan‹ Rainer Nägele und Friedrich Carl Scheibe die einzigen, die die Beziehung Diederich – Agnes gebührend ernst nehmen« (vgl. Scheibe, S. 217–219; Nägele, S. 38 f., aber auch Schröter, 1971, S. 27 f.).

66,27 f. *statt in Worte . . . lieber in Musik:* vgl. Anm. zu 92,8 bis 10 und zu 334,34.

68,27–29 *Diejenigen . . . zerschmettere ich:* leicht abgewandeltes Zitat aus der Kaiserrede vom 5. 3. 1890, in der Wilhelm II. betonte, er wolle für das Wohl der unteren Klassen arbeiten (Schröder, S. 96). Diese Warnung galt vornehmlich Bismarck, der bei der taktischen Behandlung der

Februar-Erlasse (vgl. Anm. zu 54,15 f.) Schwierigkeiten gemacht hatte und tatsächlich einige Tage später gestürzt wurde.

68,31 *In dieser harten Zeit:* Dieses Wort wird zu einem Leitmotiv im Roman; vgl. z. B. S. 92, 116, 172, 229, 279, 299, 331, 384, 402. Thomas (S. 176) erwähnt, ohne Belege dafür zu geben, daß es sich um ein gern gebrauchtes Kaiserwort handelt; vgl. »ernste Zeiten« in der Rede vom 18. 4.,1891 (Schröder, S. 5). Mann resümiert in seinem Essay *Kaiserreich und Republik* (Abschnitt »Der Untertan«): »Aber höchste Aufgabe und Pflicht: reicher werden, härter werden, Weltmacht sein« (*Essays*, S. 401).

70,29 *Panoptikum:* Wachsfigurenkabinett, Kuriositätensammlung.

73,33 f. *eine heimliche Liebe für die Sozialdemokratie:* ironische Anspielung Bucks auf die anfängliche Strategie des Kaisers gegenüber der Sozialdemokratie (vgl. Anm. zu 54,15 f.).

73,37–74,3 *Erinnern Sie sich nicht ... Schutz entziehen?:* Emil Ludwig (S. 57 f.) erzählt: »Über 100 000 Ruhrarbeiter traten im Mai 89 in den Lohnstreik. [. . .] Als Bismarck eben im Kabinett verschärfte Ausnahmegesetze vorschlägt, erscheint unangemeldet [. . .] der Kaiser [und erklärt]: ›Unternehmer und Aktionäre müssen nachgeben, die Arbeiter sind meine Untertanen, für die ich zu sorgen habe. Gestern habe ich den Oberpräsidenten am Rheine gewarnt: wenn die Industrie nicht sofort die Löhne erhöht, so ziehe ich meine Truppen zurück. Wenn dann die Villen der reichen Besitzer und Direktoren in Brand gesteckt und ihre Gärten zertreten werden, so werden sie schon klein werden!‹«

74,20 *Lassalle:* Ferdinand L. (1825–64), Gründer des Allgemeinen Deutschen Arbeitervereins (1863), der ersten sozialdemokratischen Parteibildung in Deutschland. In *Ein Zeitalter wird besichtigt* (1946) beschreibt Mann, wie Bismarck (»der deutsche, vielmehr europäische Staatsmann« und »heimliche Revolutionär«) in Geheimgesprä-

chen (1863) mit Lassalle (»eine romantische Figur«, aber
auch ein »Agitator, der zweifellos Erfolg hatte«) »sachliche
Neuigkeiten« über »die genaue Lebensform der Arbeiter«
erfuhr (in der Ausgabe des Claassen-Verlags, 1974, S. 468
bis 470). Buck betrachtet sich und seine Zeitgenossen als
Spätgeborene, als Dekadente, und meint, es gebe keine
großen Männer mehr. Vgl. (auch zum Einfluß Nietzsches)
Banuls (1966) S. 231, (1970) S. 105.

74,36 *Hohenzollern sind immer große Männer:* Aus dem
Geschlecht der Hohenzollern stammten die preußischen
Könige (1701–1918) und deutschen Kaiser (1871–1918).
Vgl. die Kaiserrede vom 6. 8. 1900 über die »wunderbaren
Erfolge unseres Hauses«, »die felsenfeste Überzeugung
von der Mission, die jeden einzelnen meiner Vorfahren
erfüllte«, und »die unbeugsame Willenskraft, durchzufüh-
ren, was man sich einmal zum Ziel gesetzt hat« (zit. nach
Thoma, S. 317); hierzu Thomas Kommentar: »die Wahrheit ist, daß nach Friedrichs II. Tode [1786] kein Hohen-
zoller unbeugsame Willenskraft gezeigt hat« (ebd.).

75,8 f. *Romantik führt ... zum Bankerott:* Manns negative
Auffassung von der (deutschen) Romantik gipfelt in den
Sätzen: »Das Lebensgefühl der deutschen Romantiker ist
das niedrigste, das eine Literatur haben kann. Das kommt
nur vor, wo, mit oder ohne Nötigung, falsch gehandelt
wurde. [...] Diese Dichter schreiben wie die letzten
Menschen« (*Zeitalter*, S. 23 f.). Zum Einfluß des dänischen
Kritikers Georg Brandes auf Manns Beurteilung der
Romantik vgl. Schröter (1965) S. 65 f.

76,32 *Pandekten:* Sammlung von Rechtsentscheidungen
römischer Juristen.

79,2 *meinen Schiller verkauft:* Schiller galt (besonders nach
den Schillerfeiern von 1859 und nach der Freigabe der
Publikationsrechte für die Werke der Klassiker 1867) als
Lieblingsdichter des deutschen Bürgertums.

79,30 f. *Sie beschlossen, aufs Land hinauszufahren:* Weisstein (1962, S. 123) bezeichnet diesen Ausflug als »ein
Fontanesches Idyll, ohne Folgen«. Vgl. die Landpartie

nach Hankels Ablage in Fontanes Roman *Irrungen, Wirrungen* (1888), sowie den Landausflug im ersten Teil (*Pasenow*) von Brochs *Schlafwandler*-Trilogie; hierzu Schröter (1971) S. 37 f., Lützeler, S. 184.

84,20/29 *Glaubst du an das Glück? / Wohin mit uns?:* vielleicht Anklänge an Fontanes Roman *L'Adultera* (1882), den Mann Anfang 1890 gelesen und gelobt hatte, besonders an das Glücksmotiv (Melanie) und Kap. X (›Wohin treiben wir?‹).

84,24/32 *Lieber sterben! / Niemals waren sie so sehr eins gewesen:* vielleicht Anklänge an Wagners *Tristan und Isolde* (vgl. Anm. zu 16,7 f.).

90,16 *Schubjack:* Lump.

92,8–10 *Am Abend spielte er Schubert . . . man mußte stark sein:* vgl. die Karikatur des Kaisers am Flügel in der französischen Zeitschrift *Figaro* (1898), abgebildet bei Wendel, S. 35. Zur Interpretation vgl. Brude-Firnau (1976) S. 564.

92,35 f. *die Luft des Imperialismus:* Anspielung auf die Kolonialpolitik, also die überseeische Macht- und Wirtschaftspolitik der Großmächte seit den siebziger Jahren des 19. Jahrhunderts: Großbritannien, Frankreich, Rußland, die Vereinigten Staaten, dann auch Deutschland unter Wilhelm II. Vgl. hierzu Wehler, S. 171 ff.; Emmerich, S. 23 f.

93,9–16 *Schnurrbart / katerhaft / Macht:* vgl. Emmerich, S. 91: »Die Angleichung in Überzeugungen und Handlungen wird affirmiert durch die nun auch physiognomische Angleichung, die Ersetzung des Gesichts durch die Maske. Heßling, der nur mehr über ein apersonales Rollen-Ich verfügt, ist zum Double des Kaisers geworden.« Brude-Firnau (1976, S. 566) interpretiert die Textstelle als eine literarische Paraphrase der Karikatur des italienischen Zeichners Tirelli, der den Kaiser mit drohender Katerphysiognomie dargestellt hatte (Abb. S. 567). Die Satire richtet sich aber auch z. T. gegen Mann selbst – mehrere Photographien zeigen ihn in »deutscher Barttracht« (S. 133 des Romans).

94,33 f. *Wie ein frischgewaschenes Schweinchen:* zur satiri-
schen Assoziation Guste Daimchens mit einem Tier vgl.
Süßenbach, S. 124; ferner Lützeler (S. 203), der auf dieses
»Verfremdungsmittel« bei Mann und Broch hinweist.
Guste wohnt übrigens in der Schweinichenstraße (S. 190;
diesen Namen trug ein schlesisches Rittergeschlecht). Vgl.
S. 290 (»wie eine Hündin«).

97,35 *forsch:* vgl. Ricken/Riedel, S. 205: »Die *Gutgesinnten*
[s. Anm. zu 140,16] werden charakterisiert als *deutsch*,
forsch, schneidig, stramm, [...] zu denen die Charakterisierung der *Schlechtgesinnten* als *schlapp* eine typische
Polarität bildet.« Vgl. z. B. S. 217, 267.

98,4 *seligen Vater:* Anspielung auf den Vater Wilhelms II.,
Kaiser Friedrich III. (1831–88). Wilhelm II. pflegte von
seinem »hoch-« bzw. »höchstseligen Großvater« (vgl.
S. 430) Kaiser Wilhelm I. (1797–1888) zu sprechen.

98,8 *Mein Kurs ist der richtige:* leicht abgewandeltes Zitat
aus der Kaiserrede vom 24. 2. 1892 (Schröder, S. 96 f.). Der
sogenannte »neue Kurs« (vgl. S. 151) des Kaisers dauerte
von 1890 (Entlassung Bismarcks) bis 1894 (Sturz des
Reichskanzlers v. Caprivi)

98,15 f. *Einer ist hier der Herr . . . Rechenschaft:* Das leicht
abgewandelte Zitat aus einer Kaiserrede vom 4. 5. 1891
(Schröder, S. 188; abgeschwächte Fassung bei Penzler I,
S. 177) läßt an das Bibelwort »Ich bin der Herr, dein
Gott« (2. Mose 20,2) denken sowie an den Vers Homers
»Einer sei Herrscher, Einer nur König« (*Ilias* 2,204), den
der römische Kaiser Caligula gerne zitierte (Quidde,
S. 13).

98,17 *mein väterliches Wohlwollen:* Abwandlung der Worte
in der Kaiserrede an streikende Bergleute vom 14. 5. 1889:
»eure Wünsche mit Meinem Königlichen Wohlwollen zu
erwägen« (Penzler I, S. 54; Schröder, S. 51).

98,18 f. *Umsturzgelüste aber scheitern an meinem unbeug-
samen Willen:* zusammengesetztes Zitat aus einem Telegramm des Kaisers vom 11. 7. 1897 an seinen früheren
Erzieher Hinzpeter (vgl. Schröder, S. 62) und einer kaiser-

lichen Ansprache vom 15. 9. 1898 (ebd., S. 63; Penzler II, S. 114 f.).

98,19–23 *Sollte sich ein Zusammenhang . . . herausstellen:* Worte aus der Kaiserrede vom 14. 5. 1889.

98,23 f. *so zerschneide ich . . . das Tischtuch:* leicht abgewandeltes Zitat aus der Kaiserrede vom 26. 11. 1902 (vgl. Penzler III, S. 138; Schröder, S. 66).

98,25 f. *Denn für mich ist jeder Sozialdemokrat . . . Vaterlandsfeind:* leicht abgewandeltes Zitat aus der Kaiserrede vom 14. 5. 1889. Zur Parodie (»Feind meines Betriebes«) vgl. Siefken (1973) S. 76.

98,26 f. *So, nun geht wieder:* leicht abgewandelte Schlußworte aus der Kaiserrede vom 14. 5. 1889.

99,2 *Der Platz an der Sonne!:* Ladendorf (S. 243 f.) vermutet, daß der nationalliberale Politiker Ludwig Bamberger um 1870 im Zusammenhang mit der deutschen Einheit diese der französischen Literatur entstammende Wendung fürs Deutsche gewonnen habe. Vgl. hier die Rede (6. 12. 1897) des soeben zum Staatssekretär des Auswärtigen Amtes ernannten Diplomaten Bernhard von Bülow, der für den Ausbau der deutschen Flotte eintrat und damit deutsche Ansprüche in der Weltpolitik anmeldete: »Wir wollen niemand in den Schatten stellen, aber wir verlangen auch unseren Platz an der Sonne« (*Fürst Bülows Reden*, hrsg. von Johannes Penzler, Bd. 1, Berlin 1907, S. 8). Vgl. auch die Kaiserrede vom 18. 1. 1901 (Schröder, S. 32; Penzler III, S. 32). Vgl. S. 411, 420, 424, 441 f.

99,19 *berufen:* zurechtweisen.

100,29 *Eugen Richter:* (1838–1906) radikaler Vertreter des Liberalismus und Bekämpfer der Bismarckschen Innenpolitik und der Sozialdemokratie, Führer der Deutschen Freisinnigen Partei im Reichstag. Zu Richters Opposition gegen die Militärvorlage 1893 (S. 223) und gegen das Flottengesetz 1898 vgl. Eyck, S. 64–68, 205–207. In seiner Reichstagsrede vom 18. 5. 1897 kritisierte Richter scharf das persönliche Regiment des Kaisers und besonders seine

»Handlanger«-Rede vom 26. 2. 1897 (vgl. Eyck, S. 171 bis 173; auch Anm. zu S. 217,25 f.).

101,4 f. *Popismus / Nepotismus:* Nepotismus: Vetternwirtschaft. Magdas Verstümmelung des Worts zeugt von einer mangelhaften Bildung; zur satirischen Funktion dieser Sprachprimitivität vgl. Süßenbach, S. 99.

102,6 f. *Ich bin mein eigener Geschäftsführer:* vgl. auch S. 383 (»sein eigener Prokurist«). In seinen *Ereignissen und Gestalten* berichtet der Kaiser, daß Bismarck schon 1886 von ihm gesagt habe: »Der wird einmal sein eigener Kanzler sein« (S. 5). Zum Vergleich des Verhältnisses zwischen Heßling und Sötbier mit dem Verhältnis zwischen Wilhelm II. und Bismarck s. auch Anm. zu 41,22, 151,15 f., 339,14, 386,14 f.

104,20 *Napoleon Fischer:* Der Name verbindet die Namen zweier Sozialdemokraten: Der Vorname bezieht sich auf einen Lübecker Arbeiter, dessen Sohn Napoleon hieß (Viktor Mann, S. 111 f.; hierzu Baumann, S. 257); der Nachname auf den sozialdemokratischen Funktionär Richard Fischer, den sogenannten »schwarzen Fischer«, über den Maximilian Harden mehrfach in seiner Zeitschrift *Zukunft* schrieb (Schlichting, S. 844, Anm. 38). Auf die Charakterisierung des »schwarzen« Napoleon Fischer im Gegensatz zum »blonden« Heßling (besonders S. 102) und auf die Herabsetzung Fischers durch Tierbezeichnungen (»affenähnlich«, S. 161) machen Ricken/Riedel (S. 207) aufmerksam. In Manns Roman *Die Armen* erscheint dieser politische Karrierist der SPD als korrupter Verräter der Arbeiterinteressen (Scherpe, S. 278). Boonstra kritisiert Manns Darstellung der Arbeiterschaft und Sozialdemokratie und bezeichnet nicht nur die Charakterisierung Fischers als »vollständiges Zerrbild« (S. 29), sondern weist sogar darauf hin, daß Mann selbst nicht sehr gut über die Ziele der Sozialdemokratie unterrichtet war (S. 27–29). Manns negativer Beurteilung der Sozialdemokratie steht andererseits seine sympathische Darstellung

der Arbeiterschaft gegenüber (Scherpe; Emmerich, S. 63
bis 65; Schlichting, S. 574).

104,36 *Furcht vor den Roten:* vgl. auch S. 116 (»rote
Gefahr«). *Le spectre rouge de 1852* ist der Titel einer Bro-
schüre (Paris 1851), deren Autor Auguste Romiens für
Frankreich den Bürgerkrieg prophezeit; sie erschien im
selben Jahr in Berlin in deutscher Übersetzung (*Das rote
Gespenst*). Das Schlagwort wurde »nach der unheimlichen
Zunahme sozialdemokratischer Stimmen zu einer charak-
teristischen Bezeichnung für die drohende Revolution«
(Ladendorf, S. 274).

106,6 *Wuchererstraße ... jetzt Kaiser-Wilhelm-Straße:* Satirisch wird hier der Kaiser mit Ausbeutertum in Verbindung gebracht.

107,10 f. *Ich bin selbstverständlich durchaus liberal:* Zu den
Redensarten und Schlagworten, die Mann um sich herum
hörte und in seinem Notizbuch von 1906/07 als »Leitworte« auflistete, gehört auch: »Ich als durchaus liberaler
Mann«.

109,12 f. *Ihr wähnt euch einig ... verallgemeinert:* die
Anfangszeilen der dritten Strophe von Georg Herweghs
(1817–75) Gedicht »Den Siegestrunkenen« (Januar 1872);
dort heißt es, mit Blick auf Bismarck, auch: »Ihr wähnt
euch einig, weil *ein* Mann / Darf über Krieg und Frieden
schalten.«

110,6 f. *Und in den Furchen ... Zukunft auf!:* Zeilen aus
Herweghs Gedicht »Die deutsche Flotte« (1844), der auf
diese Weise das bekannte Zitat aus der Kaiserrede vom
23. 9. 1898 (vgl. Anm. zu 425,3 f.) vorwegnahm.

110,17 f. *Souveränität der Nationalversammlung:* Nach der
Märzrevolution wurde am 18. 5. 1848 in der Frankfurter
Paulskirche eine deutsche Nationalversammlung eröffnet;
am 27./28. 3. 1849 wurde schließlich eine Verfassung angenommen und König Friedrich Wilhelm IV. von Preußen
mit 290 Stimmen bei 248 Enthaltungen zum erblichen
Kaiser gewählt. Als er das Angebot jedoch ablehnte, war
das Werk der Nationalversammlung gescheitert; die zu

ihrer Erhaltung ausgebrochenen Aufstände in Sachsen, der
Pfalz und Baden wurden niedergeworfen.

111,32 *Wulckow:* Viktor Mann (S. 411) vergleicht Wulckow
mit dem Gymnasiallehrer Wulicke in Thomas Manns
Buddenbrooks (1901). Linn (S. 108) deutet ihn als eine
nach dem Kaiser zweite »Inkarnation absoluter Befehls-
gewalt«.

112,7 *meine ›Sturmglocken‹:* erfundener Titel einer Ge-
dichtsammlung des Achtundvierzigers Buck, der Joachim
Seyppel (»Hommage à Heinrich Mann. Über sein Verhältnis zu Fontane. Ein Versuch«, in: *Heinrich Mann am Wendepunkt der deutschen Geschichte,* S. 207 f.) an den Barri-
kadenkämpfer und Dichter Fontane erinnert (vgl. dessen
»Glockenlieder«, 1840).

113,12 *sah stark jüdisch aus:* Das Äußere Jadassohns wird
karikaturistisch überzeichnet, z. B. S. 114, 159 f., 201, 212.
Zeck (S. 74) schreibt: »Der Opportunismus dieses Mannes
geht so weit, daß er, wenn es ihm notwendig erscheint,
seine Rassenzugehörigkeit verbirgt und seine Glaubens-
genossen beschimpft« (im Roman S. 118, 127). Vgl. auch
Anm. zu 401,7–9.

114,37–115,1 *einerseits / Andererseits:* Bürgermeister Scheffelweis, der jeder Festlegung auszuweichen und sich nach
beiden Seiten hin offenzuhalten versucht, führt ständig
diese Wendung im Munde (vgl. S. 119, 215, 267).

115,7 f. *Ich mache aus meinem Herzen keine Mördergrube:*
Ich spreche frei heraus (nach Jer. 7,11 und Mt. 21,13).

116,36 f. *ein festes Regiment:* Anspielung auf das sogenannte
›persönliche Regiment‹ des Kaisers nach der Entlassung
Bismarcks.

117,6 f. *die persönlichste Persönlichkeit:* Diese tautologische
Bezeichnung gebrauchte der Kaiser selbst, auf Christus
bezogen, in seiner Rede zur Konfirmation zweier seiner
Söhne am 18. 3. 1903 (Schröder, S. 116; Penzler III,
S. 195 ff.).

117,7 f. *ein höchst origineller Denker:* Saitschick (S. 105)
zitiert dagegen Bismarcks Charakterisierung des Kaisers:

er eigne sich Gedanken anderer an und bilde sich ein,
sie seien seine eigenen; und kommentiert: »Seine Gabe
des Anempfindens konnte blenden, hinterließ aber auf
die Dauer den Eindruck oberflächlicher Beweglichkeit«
(S. 106).

119,3 *junonisch:* stattlich, üppig (in der Art der römischen
Göttin Juno, der Gemahlin Jupiters; vgl. zeitgenössische
Darstellungen der Germania, einer Frauengestalt als Sinn-
bild Deutschlands).

119,36 f. *Gott, mit den stärksten Bataillonen:* »Gott ist
immer mit den stärksten Bataillonen«, ein geflügeltes
Wort nach dem Ausspruch Friedrichs des Großen, daß im
Kriege »Gott bei den starken Eskadronen« sei; in ähnli-
cher Form auch von Napoleon gebraucht.

121,11 *die Stadt zu erobern:* »Die Eroberung von Netzig«
lautet eine Teilüberschrift im Manuskript des *Untertan*,
1912–1914 (Kirsch/Schmidt, S. 121). Vgl. Zolas Roman
La Conquête du Plassans (1874), wo dargestellt wird,
wie das bonapartistische Kaiserreich in der Provinz Fuß
faßt (Stock, S. 47 f.). Zur historisch entsprechenden
»Sammlungspolitik« von Großindustrie und Großagra-
riern s. Schutte, S. 164; Wehler, S. 100–105.

121,14 *Ich kenne nur zwei Parteien:* Schröder (S. 187) teilt
mit: »Auf einem parlamentarischen Diner beim Kriegs-
minister im Dezember 1889 sagte der Kaiser angeblich zu
Herrn Miquel [1890 preußischer Finanzminister]: ›Sie
sind mein Mann. Was Sie in Ihrer Frankfurter Rede gesagt
haben, daß alle bestehenden Parteien nur alter Trödel sind,
ist vollkommen meine politische Ansicht. Ich kenne nur
zwei politische Parteien, die für mich und *die wider mich
sind*.‹« Vgl. auch das Bibelwort: »Wer nicht mit mir ist, der
ist wider mich« (Lk. 11,23).

121,18 f. *Kriegervereins:* »Die Kriegervereine, deren Mit-
gliederzahl die der Sozialdemokratischen Partei überstieg,
hatten in Berlin unter den Augen des Obersten Kriegsherrn ihr nationales Zentrum« (Stürmer, S. 33). 1898 über-

nahm der Kaiser das Protektorat über den Landesverband preußischer Kriegervereine.

122,19 *Turnerlieder:* Die zu Beginn des 19. Jahrhunderts durch Friedrich Ludwig Jahn begründete bürgerlich-liberale Turnbewegung orientierte sich an Ideen der Aufklärung und strebte die Beseitigung der napoleonischen Herrschaft und die Überwindung der kleinstaatlichen Zersplitterung an.

123,5 *Ronacher:* Das Apollo-Theater (früher Theater Unter den Linden) der Gebrüder Ronacher, das von einer Mischung aus Akrobatik, Clownereien und Gesangtheater lebte.

123,16 *Sonntag Jubilate:* dritter Sonntag nach Ostern.

123,29 f. *Die Rache ist mein:* 5. Mose 32,35.

127,6/9 *Loge / freimaurerischen Unfug:* Laut Banuls (1970, S. 88 f.; 1983, S. 84–86) stand Mann unter dem Einfluß der Freimaurerei und war sogar einer (wahrscheinlich italienischen) Loge beigetreten. Banuls bezeichnet diesen Einfluß als »eine wichtige, nicht leicht zu untersuchende Frage« und weist darauf hin, daß »im Roman immer wieder, diskret aber unüberhörbar, von der Netziger Loge die Rede« sei (S. 85); vgl. S. 129, 133, 136, 220, 308. Unter Berufung auf den Kaiser rechnet Jadassohn die Netziger Freimaurer (Lauer, Cohn, Fritzsche u. a.) zu den Feinden (neben dem alten Buck und der Freisinnigen Partei, Heuteufel u. a.) im Kampf der »Nationalgesinnten« (später »Partei des Kaisers«) um die Macht in der Provinzstadt. Dagegen ist anzumerken, daß Wilhelm II., dessen Großvater und Vater Freimaurer gewesen waren, zwar dem Freimaurerbund nicht selbst beitrat, aber 1889 dem Prinzen Friedrich Leopold von Preußen das Protektorat über die preußischen Großlogen übertrug und die Freimaurerei, im Gegensatz zu Bismarcks reservierter Haltung, mit Wohlwollen behandelte (vgl. Keller, S. 92–94, 105).

128,27 *von der Affenverwandtschaft predigen:* Wegen ihrer Unvereinbarkeit mit der Bibel wurde Charles Darwins

(1809–82) Evolutionstheorie, wonach der Mensch vom
Affen abstammt, von der Kirche angefeindet.

128,36–129,1 *Sorgen Sie dafür ... daß in Berlin Kirchen
gebaut werden:* Zitat aus der Ansprache des Kaisers vom
27. 6. 1888 an die städtischen Behörden Berlins (Schröder,
S. 83).

132,7 *Das ist fürwahr der Finger Gottes:* vgl. 5. Mose 9,10;
Lk. 11,20; ferner der Ausdruck »Finger der Vorsehung« in
den Reden des Kaisers vom 20. 2. 1896 und 5. 6. 1902
(Penzler II, S. 11; III, S. 85).

133,15 *Fall Lück:* In der Nacht zum 2. 4. 1892 erschoß ein
Grenadier namens Lück einen Arbeiter, der ihn im ange-
trunkenen Zustand gehänselt und bedroht hatte. Der Kaiser ernannte den Grenadier daraufhin zum Gefreiten und
schenkte ihm sein Bildnis mit eigenhändiger Unterschrift
(Schröder, S. 18).
    von maßgebender Stelle: In der Handschrift heißt es an
dieser Stelle: »von – noch höher – Seiner Majestät aller-
höchstselbst«. Mann hatte auf Wunsch der Redaktion der
Zeitschrift *Zeit im Bild,* in der sein Roman 1914 in Fortsetzungen erschien (s. S. 84 des vorliegenden Bandes) im
»Fall Lück« einiges gemildert; diese Korrekturen machte
er für die späteren Buchausgaben nicht rückgängig.

133,17 f. *Hüten Sie sich ... Handlungen:* In der Handschrift
heißt es unmittelbar vor diesem Satz: »›Ich weiß‹, sagte
Lauer ruhig. ›Ich bin sogar überzeugt, daß sonst der
Posten heute gar nicht geschossen haben würde.‹ Jetzt
schrie Jadassohn.«

134,4–6 *Morgen kommen nun ... Geldgeschenke machen:*
In der Handschrift heißt es im Anschluß an diesen Satz:
»Und nächste Woche ist ein Bild des Kaisers da, mit
Unterschrift.«

134,19 f. *mit einem Menschenleben nicht zu teuer bezahlt:*
Abwandlung eines Zitats aus Schillers Drama *Don Carlos*
(I,5): »Ein Augenblick, gelebt im Paradiese, / Wird nicht
zu teuer mit dem Tod gebüßt.«

134,29 f. *Daß da einer ... auf offener Straße!:* In der Handschrift lautet der Satz: »Daß da Einer, der frech wird, einfach abgeschossen wird, ohne Urtheil, und gewissermaßen vom obersten Kriegsherrn selbst, der durch den Arm dieses Postens handelt!«

135,24 f. *Kommandostimme:* Anspielung auf die von parlamentarischer Aufsicht freigehaltene »Kommandogewalt« des Kaisers, die die Verbindung zwischen Krone und Heer bildete; vgl. die Erinnerungen des konservativen Reichstagsabgeordneten Oldenburg-Januschau über das Verhältnis von militärischer und ziviler Gewalt und den Ursprung seines als kennzeichnenden Ausdruck des Militarismus berühmt gewordenen Satzes (in einer Reichstagsrede vom 29. 1. 1910) von dem Recht des Kaisers, einen Leutnant und zehn Mann zur Schließung des Reichstages abzukommandieren (*Das Deutsche Kaiserreich 1871 bis 1914*, S. 88–90). Vgl. Anm. zu 231,27 f.

135,25 *daß er keinen Schattenkaiser wünsche:* In Verteidigung des Kaisers, der wegen politischer Entgleisungen angegriffen worden war, sagte Reichskanzler Bülow am 20. 1. 1903 vor dem Reichstag: »Das deutsche Volk will gar keinen Schattenkaiser, das deutsche Volk will einen Kaiser von Fleisch und Blut« (*Fürst Bülows Reden*, hrsg. von Johannes Penzler, Bd. 1, Berlin 1907, S. 395). Vgl. Anm. zu 349,23 f.

137,1 f. *alle verjudet, die Fürstenhäuser einbegriffen:* Zwischen adligen Häusern und reichen bürgerlichen, z. T. jüdischen Familien wurden zahlreiche Ehen geschlossen.

140,16 *Gutgesinnten:* Laut Ricken/Riedel (S. 205) »gliedert sich im *Untertan* die Gesellschaft des wilhelminischen Deutschland aus der Sicht der Kaisertreuen [. . .] in *Gutgesinnte* [z. B. S. 128, 268, 330, 370, 387], d. h. Anhänger der *Macht*, und *Schlechtgesinnte* [z. B. S. 115, 231, 268, 310, 355, 428], d. h. Vertreter des *Umsturzes, umwälzende Elemente*.«

140,21 *Agitator:* Seit 1780 (Edmund Burke) belegt, wurde der Begriff Anfang der 1790er Jahre auf die französischen Demokraten übertragen und drang ziemlich gleichzeitig auch nach Deutschland. Später machte sich Lassalle (vgl. Anm. zu 74,20) als »der deutsche Agitator« einen großen Namen; um die Jahrhundertwende wurde der Ausdruck mit Vorliebe auf »sozialdemokratische Hetzapostel« angewandt (vgl. Ladendorf, S. 2). Der Kaiser selbst benutzt das Wort mit negativer Wertung, etwa wenn er in einer Rede an Arbeiter im Sommer 1900 Streikende als »durch vaterlandslose Agitatoren verführte Arbeiter« bezeichnet (vgl. Schröder, S. 65).

140,26 f. *daß die Bürger ... erwachen mögen:* Anspielung auf eine Kaiserrede vom 13. 9. 1890 (Schröder, S. 56).

140,35 *Wenn die Kirche der Fürsten bedürfen wird:* Der Kaiser sagte am 16. 11. 1891 beim Empfang der Vorstandsmitglieder der Generalsynode der älteren preußischen Provinzen: »Meine Herren, die *Reformation* ist an der *Brust der Fürsten groß geworden*; wenn die Kirche wieder der *Fürsten bedürfen* wird, werden die Fürsten nicht fehlen« (Schröder, S. 111).

141,5 f. *wir stehen im Zeichen des Verkehrs:* Am 7. 1. 1891 übersandte der Kaiser dem Staatssekretär Heinrich von Stephan (dem Organisator des deutschen Postwesens) zum 60. Geburtstag seine Photographie mit folgender Unterschrift: »Die Welt am Ende des 19. Jahrhunderts steht unter dem *Zeichen des Verkehrs:* Er durchbricht die Schranken, welche die Völker trennen und knüpft zwischen den Nationen neue Beziehungen an« (Schröder, S. 28).

141,28 f. *Gymnasialprofessor Kühnchen:* Zu diesem in widerwärtig rohen soldatischen Erinnerungen schwelgenden Veteranen des Deutsch-Französischen Krieges 1870/71 vgl. S. 104 des vorliegenden Bandes. Viktor Mann erinnert sich aus den zwanziger Jahren in Paris: »In den Revuen wurde Deutschland durch Walküren im Parademarsch nach Wagnermotiven vor einem Hintergrund aus Riesenkanonen und Fabrikschloten symbolisiert, und in den politischen Sketchen trat der Deutsche wieder als vollbärtiger Lodensachse auf – Professor Kühnchen aus Heinrichs ›Untertan‹ in Fleisch und Blut – und schlug mit dem Stock auf die Friedenstaube los« (S. 520). Zur Sprachprimitivität dieses Gymnasiallehrers vgl. Süßenbach, S. 100.

141,37–142,1 *Franktiröhrs:* Franktireurs, französische Freischärler während der Revolutionskriege und im Deutsch Französischen Krieg.

142,28 *Soofgipöh:* Sauve qui peut (frz., »rette sich, wer kann«).

143,32–34 *Hungerkandidat ... Gefahr für uns:* Zitate aus einer Kaiserrede vom 4. 12. 1890: »Da ist das Wort, das vom Fürsten Bismarck herrührt, richtig, das Wort von dem Abiturientenproletariat, welches wir haben. Die sämtlichen sogenannten *Hungerkandidaten, namentlich die Herren Journalisten*, das sind vielfach *verkommene Gymnasiasten*, das ist eine *Gefahr für uns*« (Schröder, S. 154; Penzler I, S. 159).

144,25 *Brief des Kaisers:* Gemeint ist das Schreiben Wilhelms II. vom 15. 2. 1903 (im Roman auf das Jahr 1892 vorverlegt) an den Vorsitzenden der Deutschen Orientgesellschaft, Admiral Hollmann, der in der Leipziger Zeitschrift *Die Grenzboten* veröffentlicht wurde (Hauptstellen bei Schröder, S. 112–115). Es handelt sich um eine Auseinandersetzung mit zwei Vorträgen, die der Assyriologe Friedrich Delitzsch (seit 1899 Professor in Berlin) im Winter 1902/03 in der Orientgesellschaft in Gegenwart des Kaisers über die Beziehungen zwischen dem Alten Testament und der babylonischen Kultur gehalten hatte (*Babel und Bibel*, Leipzig 1903). Der Kaiser kritisierte insbesondere, wie Delitzsch »in sehr polemischer Weise sich an die *Offenbarungsfrage herangemacht*« und »dieselbe mehr oder minder verneint bzw. auf historisch rein menschliche Dinge zurückführen zu können vermeint« habe (S. 113), und unterschied selbst »zwei verschiedene Arten von Offenbarung: eine fortlaufende, gewissermaßen historische [auf die Delitzschs These zutreffe] und eine rein religiöse, auf die spätere Erscheinung des Messias vorbereitende Offenbarung« (S. 114).

144,36 f. *Seine Majestät bekennt sich zum positiven Christentum:* Dies ist auch in dem Sinne zu verstehen, wie es etwa die *Neue Preußische (Kreuz-)Zeitung* anläßlich ihres 75jährigen Jubliläums formulierte: »Unter dem Zeichen des [. . .] Eisernen Kreuzes hat [die Zeitung] gekämpft für die konstitutionelle Monarchie, für positives Christentum, für ein starkes Preußen« (Paul Alfred Merbach, »Die Kreuzzeitung 1848–1923. Ein geschichtlicher Rückblick«, 16. 6. 1923).

145,10 *Hammurabi:* babylonischer König (um 2000 v. Chr.), auf dessen Bedeutung als Vorläufer des jüdisch-christlichen Monotheismus Delitzsch hingewiesen hatte. Der Kaiser äußerte in seinem Brief an Hollmann: Gott offenbare sich »bald in diesem oder jenem großen Weisen oder Priester oder König, sei es bei den Heiden, Juden oder Christen. Hammurabi war einer, Moses, Abraham, Homer, Karl der Große, Luther, Shakespeare, Goethe, Kant, *Kaiser Wilhelm der Große*« (Schröder, S. 114).

145,13 *Kaiser Wilhelm der Große:* Dieser Beiname, mit dem Wilhelm II. seinen Großvater zum ersten Mal in einer Rede vom 21. 6. 1895 bezeichnete und den er auch an dessen Denkmal in Berlin (1897) anbringen ließ, rief nicht nur in weiten Volks-, sondern auch in Hofkreisen Mißstimmung hervor.

145,15 *Werkzeug Gottes:* In seinem Brief an Hollmann schrieb Wilhelm II: »Wie oft hat mein Großvater dieses nicht ausdrücklich betont, er sei ein Instrument nur in des Herren Hand« (Schröder, S. 114).

147,24 *Scherl:* August S. (1849–1921), bedeutender Zeitungsverleger, Begründer des einflußreichen *Berliner Lokal-Anzeigers.*

148,1 *die Wacht am Rhein:* patriotisches Lied, das 1840 von Max Schneckenburger gedichtet und später im Deutsch-Französischen Krieg zum Kampf- und Siegeslied der deutschen Truppen wurde.

148,14 *Flügeladjutant:* Adjutant im militärischen Gefolge am Hofe des Kaisers, der ihm persönlich dient.

148,15 f. *Chef des Zivilkabinetts:* Das Zivilkabinett diente in
der preußischen Monarchie zur Unterstützung der persönlichen Regierungstätigkeit des Herrschers und zur Vermittlung zu den Ministerien; sein Chef war 1888–1908
Hermann von Lucanus.

148,18 f. *Ich bin sehr stark:* Diesen Satz hat man im Zusammenhang mit den Arbeitslosenunruhen in Berlin vom
Februar 1892 dem Kaiser zugeschrieben: vgl. Dehem
(1979, S. 173), der auf den Bericht in *L'écho de Paris* vom
28. 2. 1892 hinweist (»Celui qui a dit: ›je suis très fort‹«).
Laut Dehem findet sich dieser Satz aber nicht in den veröffentlichten Reden des Kaisers.

149,16–19 *Für Deinen ... zum Gefreiten:* Mit ähnlichen
Worten hatte der Kaiser nach dem Bericht des *Berliner
Tageblatts* den Gefreiten Lück befördert (s. Anm. zu
133,15).

149,25 *Sie haben so viel Ähnlichkeit mit – mit:* vgl. Emmerich, S. 92: »Nicht nur äußerlich, in Physiognomie, Mimik
und Gestik, ist er zu vollständiger Kongruenz mit seinem
Herrscher gelangt [...], sondern bis in den Sprachgestus
hinein: Das gefälschte Telegramm wird später von höch-
ster Stelle keineswegs dementiert, sondern bestätigt [vgl.
S. 161]. Und auch die gesinnungsgleichen Mitbürger
erkennen und akzeptieren ihn als Sprachrohr, ja *alter ego*
des Höchsten.«

151,15 f. *Eine Weile lasse ich den Alten ... ausgeschifft:* Im
Zusammenhang mit der Auseinandersetzung mit seinem
Kanzler Bismarck über die Februar-Erlasse (vgl. Anm. zu
54,15 f.) soll der Kaiser zu Vertrauten gesagt haben: »Der
Alte kriecht zu Kreuze! Noch ein paar Wochen lasse ich
ihn verschnaufen, dann regiere ich!« (Ludwig, S. 69). Am
20. 3.1890 wurde die Entlassung Bismarcks bekanntgege-
ben; der Kaiser sagte am 22. 3. 1890 in einer Rede: »Das
Amt des wachhabenden Offiziers auf dem Staatsschiff ist
mir zugefallen. *Der Kurs bleibt der alte*, und nun *Voll-
dampf voraus!*« (Schröder, S. 92.) In dem englischen Witz-
blatt *Punch* erschien im März 1890 die berühmte Karika-

tur »Der Lotse verläßt das Schiff« (Abb. bei Wendel, S. 17; Zentner, S. 27).

151,32 f. *Wunsch ... groß zu werden:* Daß Heßling unnötigerweise neue Maschinen kauft, interpretiert Banuls (1966, S. 226; 1970, S. 98; 1983, S. 80) als eine Anspielung auf Wilhelms II. »Manie des Flottenbaus«.

153,4–6 *Umdroht von Feinden ... zerschmettern:* Anklang an die Kaiserrede vom 5. 3. 1890 (vgl. Anm. zu 68,27–29). Mit letzterem Wort droht in Manns gleichnamigem Roman auch Professor Unrat seinen Feinden, d. h. seinen Schülern, vor allem Lohmann (in der Ausgabe des Claassen-Verlags, 1959, S. 177, 206, 225).

154,1 *in seinem gelben Chinesengesicht:* Heßling betrachtet den freisinnigen Arzt Heuteufel als gefährlichen Gegner, den er metaphorisch mit der sogenannten »gelben Gefahr« assoziiert (vgl. Anm. zu 234,8).

154,32/155,21 *Sie sind heiser / ob ich Krebs kriegen kann:* Im Sommer 1903 litt der Kaiser unter einer starken Kehlkopfentzündung und war monatelang von der Angst gepeinigt, demselben Schicksal entgegenzugehen wie sein Vater, der 1888 an Kehlkopfkrebs gestorben war; die Entzündung stellte sich aber nach einer Operation als harmlos heraus. Vgl. auch S. 365, 368.

156,31 *Anklage wegen Majestätsbeleidigung:* Mit der Auffassung Wilhelms II., er sei Kaiser »von Gottes Gnaden« (vgl. Anm. zu 443,24–27) waren »Hunderte von Prozessen wegen Majestätsbeleidigung, fünf- bis sechshundert im Jahre, verbunden« (Saitschick, S. 112). Laut Banuls (1970, S. 98) mußte Mann selbst 1912 einen Majestätsbeleidigungsprozeß über sich ergehen lassen, wahrscheinlich wegen des Vorabdrucks einer Episode aus dem *Untertan* (vgl. auch Haupt, 1980, S. 66) – vermutlich »Der Krawall (Februar 1892)«; vgl. S. 82 des vorliegenden Bandes.

158,37–159,1 *Der Stil Seiner Majestät ist unverkennbar:* »Der Stil Kaiser Wilhelms ist beherrscht vom Superlative« (Thoma, S. 307). »Kennzeichnend für Wilhelm II. war es,

daß er, wie schon Bismarck immer wieder betonte, weder
Stil noch Augenmaß besaß« (*Das Wilhelminische Deutsch-
land*, S. 19). Zum Redestil des Kaisers vgl. auch Johann,
S. 38 f.; Brude-Firnau (1981).

160,18 f. *Berliner »Lokal-Anzeiger«:* gegründet 1883 von
August Scherl, die erste wirkliche Massenzeitung Berlins,
die auch viele Reden und Äußerungen des Kaisers brachte.

161,34 *altdeutsch:* dem Stil der deutschen Renaissance nach-
geahmt.
Louis käs: Gemeint ist Louis-quinze, der unter Ludwig XV. (1723–74) in Frankreich herrschende Kunst-, besonders Möbelstil des Rokoko. Durch die Verballhornung
des Wortes wird der Bildungsanspruch der neureichen
Frau Daimchen ironisch kritisiert.

165,12 f. *die neue Militärvorlage:* Die Militärvorlage wurde
im November 1892 im Reichstag eingebracht. Darin war
eine Erhöhung der jährlichen Rekrutenzahl sowie der
Friedenspräsenz um 84 000 Mann und 2 000 Offiziere vor-
gesehen, wofür dem Reichstag die altliberale Forderung
der Herabsetzung der Dienstpflicht für die Infanterie auf
zwei Jahre zugestanden wurde.

166,30 f. *Majestät legt keinen Wert auf nicht gediente Herr-
schaften:* »Der starken Vorliebe Wilhelms II. für alles Militärische entspricht eine ausgeprägte Voreingenommenheit
gegen das Zivile« (Zentner, S. 95).

169,3 *jüdischer Radikalismus:* In dem Kampf um volle
Gleichberechtigung der Juden (vgl. Anm. zu 51,6) sah man
die Gefahr einer Zersetzung der offiziellen Christlichkeit
des preußischen Staats (vgl. Sterling, S. 91 f.).

169,23 *Sachlich sein heißt deutsch sein:* Abwandlung des
Richard Wagner zugeschriebenen Ausspruchs »Deutsch
sein heißt eine Sache um ihrer selbst willen tun« (s. Anm.
zu 445,7 f.). Zu diesem Ausspruch sowie zu Heßling als
einer Präfiguration Huguenaus im letzten Teil der *Schlafwandler*-Trilogie von Hermann Broch (*Huguenau oder
Die Sachlichkeit*) vgl. Lützeler, S. 192; Bier, S. 81.

171,16 *Liebet eure Feinde:* vgl. Mt. 5,44.

171,18 *Die Rache ist mein, spricht der Herr:* 5. Mose 32,35;
   Röm. 12,19.
171,22 f. *Wer aber spricht Rache, der ist des Gerichts:* vgl.
   Mt. 7,1 f.
182,34 f. *auf den Aussterbeetat gesetzt:* eine umgangssprach-
   liche Formulierung in bezug auf jemanden, der nicht mehr
   benötigt wird, dessen Tage gezählt sind.
186,19 *»Im tiefen Keller sitz ich hier«:* vgl. die burschen-
   schaftlichen Lieder »Im kühlen Keller sitz' ich hier« und
   »In seinem tiefen Keller«.
187,15 f. *dem Glücklichen schlägt keine Stunde:* geflügeltes
   Wort nach der Zeile »Die Uhr schlägt keinem Glücklichen« in Schillers *Wallenstein* (*Die Piccolomini* III,3).
192,4 f. *Fritzenauge:* »Der alte Fritz« war der volkstümliche
   Name König Friedrichs II. von Preußen (1712–86), der als
   bedeutendster Vertreter der Hohenzollerndynastie galt.
193,8–11 *wenn der Krieg ... einmal wirklich ausbräche:*
   Ludwig (S. 195) sagt über den Kaiser: »So kam es, daß er
   das Ausland dauernd zu provozieren schien, während er
   sich vor einem Kriege mehr als mancher ruhige Kollege
   fürchtete, und daß zugleich derselbe Mann im Lande die
   Bürger durch fortgesetzte Drohungen gegen den roten
   Reichsfeind erschreckte.« Vgl. Anm. zu 443,10.
200,10 *Sprezius, anzusehen wie ein ... Geier:* Der Gerichts-
   vorsitzende erscheint in einen Geier verwandelt, der seinen »Schnabel« »schärft« (S. 221), »wetzt« (S. 222), ihn
   »gezückt« hält (S. 224), »krächzt« (S. 202, 205), »beutegie-
   rig« »kreischt« (S. 224) und mit seinem »Geierschnabel«
   (S. 201) auf Zeugen und Verteidiger ständig »loshackt«
   (S. 201, 207, 211, 222, 224).
204,10 *Wulckow, im Jagdanzug:* Linn (S. 110) vergleicht die
   Haltung Wulckows während der Gerichtsverhandlung
   mit der des Herrn von Dreckwitz, den Mann in seinem
   Essay *Reichstag* (1911) als Typ des Konservativen vorführt
   (*Macht und Mensch*, S. 18). Aber das Wichtigste dabei ist
   laut Linn nicht die Haltung Wulckows (vgl. z. B. seine
   Ausrufe; S. 207, 214 des Romans), sondern »das Fluidum,

das er verbreitet und das ihn als unberührbar und unwiderlegbar ausweist. Heinrich Mann benutzt das Wort Fluidum nicht, sondern sagt Geruch und meint beides.«

206,35 *Gothaischen Almanachs:* Gemeint sind die *Gothaischen Genealogischen Taschenbücher,* die der Verlag Justus Perthes in Gotha herausgab. Unter ihnen enthielt der *Hofkalender* Genealogien der fürstlichen Häuser Europas.

212,15 *vaterlandslosen Gesellen:* eine Bezeichnung des Kaisers für die Sozialdemokraten.

215,6 f. *der Freien Gemeinde:* Die »freien« oder »freireligiösen Gemeinden« hatten sich in den 1840er Jahren von der preußischen protestantischen Landeskirche losgelöst. Nach zahlreichen gegen sie gerichteten Regierungsmaßnahmen in Preußen, Bayern, Hessen und Sachsen vereinigten sie sich 1859 mit den Deutschkatholiken und Freiprotestanten zum »Bund freier religiöser Gemeinden«; die Zahl der Gemeinden blieb aber klein (1899: 48).

217,8 *eine Rotte von Menschen:* leicht abgewandeltes Zitat aus der Rede am Sedantag (2. 9.) 1895, in der Wilhelm II. die Sozialisten als »eine Rotte von Menschen« bezeichnete und zum Kampf aufrief, »um der hochverräterischen Schar zu wehren« und das Reich »von solchen Elementen« zu befreien (Schröder, S. 59; Penzler I, S. 315; Johann, S. 67).

217,19 f. *vaterlandslosen Feinden der göttlichen Weltordnung:* Worte aus dem Erlaß des Kaisers vom 8. 9. 1895 an den Reichskanzler (Schröder, S. 59).

217,25 f. *edel oder unfrei, zum Handlanger ... bestellt:* Anspielung auf die sogenannte »Handlanger-Rede« des Kaisers vom 26. 2. 1897 (Penzler II, S. 40; Johann, S. 70), die vielfach auf Kritik stieß. Im offiziellen Text heißt es statt »edel oder unfrei« »Arbeiter, Fürst oder Herr«, statt »Handlanger« »Werkzeuge« (Schröder, S. 61).

219,12 f. *Sehr brauchbare Gesinnung:* Wulckow lobt nur Heßlings Brauchbarkeit (vgl. S. 269, 315) und sonst nichts an ihm.

220,9 *Welch eine Wendung durch Gottes Fügung:* Johann (S. 26) teilt über den Kaiser mit: »Als Zwölfjähriger nahm

er an den glänzenden Äußerlichkeiten des Sieges von 1871
und der Reichsgründung teil. Der Einmarsch mit den siegreichen Truppen durchs Brandenburger Tor, an der Seite
seines Vaters, blieb ihm unvergeßlich. ›Welch eine Wendung, durch Gottes Fügung!‹ stand dort zu lesen«.

222,31 *zwischen Byzantinern und Majestätsbeleidigern:*
Nach den unterwürfigen Hofritualen des Byzantinischen
Reiches wurde Kriechertum und Schmeichelei gegenüber
Wilhelm II. als Byzantinismus bezeichnet (vgl. besonders
Reventlows Buch *Kaiser Wilhelm II. und die Byzantiner,*
1906). In seinem Brief vom 31. 10. 1906 teilt Mann Ludwig Ewers mit, daß der Held seines *Untertan*-Romans
»vor allem ein Byzantiner bis ins allerletzte Stadium« sein
solle; in seinem Brief vom 24. 3. 1909 an Ewers erwähnt er
seinen »Byzantiner-Roman«.

223,2 f. *nicht vom Fürsten sprechen, sondern vom Untertan:*
Wolfgang Bucks Verteidigungsrede ist von zentraler
Bedeutung im Roman. Man hat Bucks Kritik einerseits
mit der Manns in *Kaiserreich und Republik* verglichen
(Schröter – 1971, S. 18 f. – bezeichnet diesen Essay als »die
geschichtsphilosophische Deutung des Romans«); andererseits von den konservativen Anschauungen des jungen
Heinrich Mann (als Mitarbeiter und Redakteur der Zeitschrift *Das Zwanzigste Jahrhundert,* 1895/96) unterschie-
den (Dirksen, S. 327 f.). Die »Souveränität« (Scheibe,
S. 223) von Buck als Manns fiktivem Zeitanalytiker wird
von Schröter (1971, S. 20 ff.) angezweifelt: Buck, als
Repräsentant der Décadence und des Dilettantismus, er-
weise sich als »Gegenpol« zu Heßling, als »eine Spielart
des von ihm angeprangerten Typs,« doch seine »Skepsis«
verbiete ihm, »die eindeutige Rolle des Untertanen zu
wählen und dessen nationalistisches Credo zu teilen«.

223,15 *etwas faul im Staat:* geflügeltes Wort aus Shakespea-
res *Hamlet* (I,4): »Something is rotten in the state of Den-
mark«.

223,33 f. *da es in Wirklichkeit und im Gesetz weder den
Herrn noch den Untertan gibt:* Sowohl in der Reichsver-

fassung als auch in den Verfassungen der Bundesländer, einschließlich Preußens, spielen nur die Begriffe »Kaiser« bzw. »König« und »Bürger« eine Rolle.

230,31 *diktierte ihnen die Adresse:* Adresse: feierliche Ansprache. Laut Siefken (1973, S. 74 f.) könnte es sich hier um eine satirische Entsprechung zur Antwort des Prinzen Heinrich auf die Abschiedsrede des Kaisers (beim Abschied des Prinzen nach Ostasien) vom 15. 12. 1897 handeln; diese Antwort »soll nach Aussage gutunterrichteter Zeitgenossen von Wilhelm II. selbst verfaßt worden sein« (Johann, S. 76).

231,15 *unser scharfes Schwert:* Zum 80. Geburtstag überreichte der Kaiser seinem ehemaligen Kanzler Bismarck am 26. 3. 1895 »ein Schwert, diese vornehmste Waffe des Germanen, ein Symbol jenes Instruments, das Euer Durchlaucht mit meinem hochseligen Herrn Großvater haben schmieden, schärfen und auch führen helfen« (Penzler, I, S. 302; Johann, S. 66).

231,27 f. *wenn die Kerls … Bude aus:* Das hier angeführte Wort wurde bei der Eröffnung des Brandenburgischen Landtags am 1. 5. 1893 nicht gesprochen, entspricht aber der Einstellung des Kaisers, wie er sie im Vertrautenkreise zum Ausdruck brachte: »Ich bringe diese Militärvorlage durch, koste es, was es wolle [. . .]. Ich jage den halbverrückten Reichstag zum Teufel, wenn er mir Opposition macht« (Ludwig, S. 186).

234,8 *verteidige hier unsere heiligsten nationalen Güter:* Ein 1895 vom Kaiser entworfenes, vom Hofmaler Hermann Knackfuß ausgeführtes Bild stellte allegorisch den Bund der europäischen Völker kampfbereit gegen »die drohende Gefahr, in Gestalt des Buddha« dar und trug die Inschrift des Kaisers: »Völker Europas, wahret eure heiligsten Güter!« (Schröder, S. 172 f.; Abb. bei Balfour, 1967, vor S. 289). Vgl. auch die Kaiserreden vom 18. 1. 1895 (Schröder, S. 152), sowie vom 7. 9. 1896 und vom Anfang August 1900 (Penzler II, S. 33 und 221). Der Kaiser nahm für sich in Anspruch, nicht nur der erste Europäer gewesen zu

sein, der die asiatische Drohung voraussah, sondern auch
das Wort von der »gelben Gefahr« selbst geprägt zu
haben; dieses Schlagwort war aber schon im letzten Viertel
des 19. Jahrhunderts in Westeuropa geläufig.

237,8 *echauffiert:* (frz.) erhitzt, aufgeregt.

241,11 *Kainsmal:* Brandmarkung, die einen Übeltäter kenn-
zeichnet; nach 1. Mose 4,15 (wo der Brudermörder Kain
das Zeichen freilich erhält, um als Schutzbefohlener Gottes unangetastet zu bleiben).

244,5 f. *die Sünderin Magdalena / das Lamm mit dem Hirten:* vgl. Mk. 16,9; Lk. 8,2 (Maria Magdalene); Joh. 10,1–18
(Gleichnis des guten Hirten).

248,32 *wie Schwertgeklirr:* Anklang an die erste Strophe
des Liedes »Die Wacht am Rhein« (s. Anm. zu 120,2): »Es
braust ein Ruf wie Donnerhall, / Wie Schwertgeklirr und
Wogenprall«.

252,14 *Mammon:* abschätzig für: Reichtum, Geld.

252,37 *von dem Schadenersatz weiter nicht reden:* Die Episode mit dem Maschinenunfall einer Arbeiterin, auf die
sich Napoleon Fischer hier bezieht, wurde laut Eggert
(S. 315) von einer Rede Wilhelms II. angeregt, der am
11. 11. 1890 über mangelnde Schutzvorrichtungen an
Dreschmaschinen und daraus resultierenden Unfällen von
Arbeiterinnen sprach (Schröder, S. 57; Penzler I, S. 141 f.).

252,37–253,1 *Intimitäten aus den ersten Kreisen sind für uns
doch wichtiger:* Laut Eggert (S. 308) eine Anspielung auf
die Krupp-Affäre von 1902, wie sie bei Schröder (S. 65 f.)
berichtet wird: »Am 15. November 1902 hatte der ›Vorwärts‹ in Berlin [das Zentralorgan der Sozialdemokraten]
auf die Mitteilungen ausländischer Blätter hingewiesen,
die sich seit Wochen mit sittlichen Verfehlungen beschäf-
tigten, deren sich der Besitzer der Kruppschen Werke,
Geh. Rat F. A. Krupp in Essen, bei seinem Aufenthalt auf
der Insel Capri schuldig gemacht haben sollte. Am 22. November starb Krupp plötzlich, am Herzschlag, wie gemel-
det wurde.« Der Kaiser nahm an der Trauerfeier teil und
sagte danach in einer Ansprache unter anderem: »Diese Tat

mit ihren Folgen ist weiter nichts als Mord [. . .].« Vgl.
auch den Kommentar von Johann, S. 145–147.

256,16–18 *seine natürliche Tochter / ›Die heimliche Gräfin‹:*
Die Aufführung stellt eine Parodie von Goethes klassi-
scher Tragödie *Die natürliche Tochter* (1803) dar (vgl.
S. 280). Der Ausgangspunkt ist in beiden Dramen entspre-
chend: Ein Herzog bzw. Graf will seiner unehelichen
»natürlichen« Tochter die Hälfte seines Vermögens verer-
ben, was auf den Widerstand seines einzigen ehelichen
Sohnes stößt. Aber während die menschlichen Probleme
und moralischen Konflikte in der *Natürlichen Tochter*
schließlich durch die ethisch fundierte Entsagung Euge-
nies gelöst werden, bleibt *Die heimliche Gräfin* ein einfa-
cher Erbstreit, wobei das Streben nach Reichtum die trei-
bende Kraft ist. Das Bühnengeschehen besitzt auch eine
doppelte inhaltlich-thematische Parallele in der Zwischen-
handlung auf der Romanebene: Hier kämpft nämlich Frau
von Wulckow mit dem Publikum um den Erfolg ihres
geistlosen Stückes, während ihr Gatte mit dem Bürgermeister um die Festigung seiner privilegierten Stellung in Netzig ringt. Es bestehen aber auch weitere Beziehungen zwischen der Bühnen- und Romanhandlung, besonders in
der Verbreitung eines diffamierenden Gerüchts über die
Familie Buck, um die Verlobung zwischen Guste Daimchen und Wolfgang Buck zu unterminieren, da Heßling
die reiche Erbin selbst heiraten und mit seinem so vergrö-
ßerten Vermögen seine Papierfabrik erweitern will.

257,27 f. *Fideikommiß:* (von lat. *fidei commissum* ›auf Treu
und Glauben anvertraut‹) unveräußerliche, meist aus
Grundbesitz bestehende, nur als Ganzes vererbliche Ver-
mögensmasse, deren Inhaber nur über ihren Ertrag verfü-
gen konnte.

258,30 *die Schlacht bei Kröchenwerda:* Frau von Wulckow
verwechselt hier Kröchenwerda mit Kötzschenbroda, wo
Brandenburg und Sachsen am 6. 9. 1645, gegen Ende des
Dreißigjährigen Krieges, Waffenstillstand mit Schweden
schlossen. Diese Form der Kultur- oder Bildungskritik

erinnert an Fontane, dessen adlige und neureiche Charaktere (z. B. in *L'Adultera, Frau Jenny Treibel, Der Stechlin*) auch oft Namen verwechseln oder verstümmeln.

268,3 f. *Diederich sah auf ihn hinunter, als hätte er gethront:* Ohne auf die Frage des Einflusses einzugehen (vgl. Barnouw, S. 423), interpretiert Brude-Firnau (1976) die Begegnung Heßlings mit Scheffelweis als eine literarische Paraphrase von Th. Th. Heines 1910 in der satirischen Zeitschrift *Simplicissimus* erschienener Karikaturenfolge, die sich auf die im Vorjahr erfolgte Ernennung Bethmann Hollwegs zum Reichskanzler bezog (S. 561 f.; S. 565, Abb. 1). Durch diese Parallele werde also nicht nur der kaiserliche Untertan, sondern ebenso die vom Bürgermeister vertretene quietistische Anständigkeit kritisiert. Der Mangel an politischer Standfestigkeit, an Mut, Farbe zu bekennen, verhelfe dem schwächlichen, dafür aggressiven Menschen zur rücksichtslos ausgenützten Überlegenheit (S. 563, 569).

268,30/269,9–11 *seine schwarze Tatze / slawischen Bakkenknochen / Mongolenfalten:* Wulckow erscheint hier als Bär mit »schwarzer Tatze« (S. 268, 279) und »wütendem Grunzen« (S. 273). Er erhält physiognomische Merkmale der im Kaiserreich gefürchteten bzw. verhaßten Rassen: einerseits der slawischen – worauf auch die Herkunft seines Namens verweist (zur Furcht vor dem »slawischen Bären« im wilhelminischen Deutschland vgl. Gollwitzer, S. 38 f., 181 ff.) –, andererseits der asiatischen.

270,10 *au fait:* (frz.) wohlunterrichtet.

270,33 *den städtischen Arbeitsnachweis:* Gemeint ist die Behörde, die sich mit Arbeitsvermittlung befaßte. Sie »war den ostelbischen Großgrundbesitzern ein Dorn im Auge, weil [sie] landarme Bauern und Landarbeiter an die Industrie vermittelte und so die Abhängigkeit des ländlichen Proletariats von den Junkern verringerte« (Kesler, S. 22).

271,2 *Parvenüs:* (frz.) Emporkömmlinge, Neureiche, besonders seit der Gründerzeit in den siebziger Jahren des 19. Jahrhunderts.

278,3 f. *Die heimliche Gräfin sind also –:* Die Autorin, eine
geborene Gräfin (S. 255), identifiziert sich also mit ihrer
»heimlichen Gräfin«, läßt aber aus gesellschaftspolitischen
Gründen (nämlich, um die gesellschaftliche Vorrangstel-
lung des Adels zu bewahren; vgl. S. 278) die Grafentochter
in ihrem Stück um ihr rechtmäßiges Erbe kommen. Der
Vetter, ein armer adliger Leutnant, der der potentiellen
Erbin die ewige Treue schwört, nimmt eine reiche Fabri-
kantentochter zur Frau, während die Grafentochter trotz
anfänglichem Widerwillen einen Klavierlehrer heiratet, da
ihr dafür von der Fabrikantenfamilie eine Ausstattung
versprochen wird.

278,23 *Fi donc!* (frz.) Pfui Teufel!

280,31 f. ›*Das traute Heim‹:* So wie der Titel *Die heimliche
Gräfin* an Trivialromane der Eugenie Marlitt (1825–87)
erinnert (z. B. *Goldelse*, wo gegen Ende die adlige Herkunft der Heldin durch zufällig aufgefundene Dokumente
entdeckt wird), erinnert der erfundene Zeitschriftentitel an
Familienzeitschriften des 19. Jahrhunderts wie *Die Gar-
tenlaube* (1853 ff.) oder *Daheim* (1864 ff.).

281,7 *hielt Cercle:* Cercle halten: Gäste bei einem Hofemp-
fang ins Gespräch ziehen.

284,10 *Don Antonio Manrique:* wohl von Mann erfundene
Gestalt.

295,15 *Heidsieck:* berühmter, teurer französischer Sekt der
gleichnamigen Firma in Reims.

296,27 *Hennessy:* Kognakmarke.

298,37–299,2 *wir beiden Gegenpole / moralfreien Epoche:*
Angespielt wird auf Nietzsches Wortbildung »moralin-
frei«. »Heinrich Mann hat sie von ihm übernommen. Aber
[. . .] ohne die positive Wertschätzung, die es bei Nietzsche
trägt, [sondern] als ein bloßstellendes Charakteristikum
dem Décadent Wolfgang Buck in den Mund gelegt«
schreibt Schröter (1971, S. 20 f.), für den Heßling und
Buck beide Repräsentanten der Décadence sind (vgl. auch
Anm. zu 223,2 f.).

299,8 f./12 f. *mit Geist ist heute nichts zu machen / Die natio-*

nale Tat hat abgehaust: Mit »nationaler Tat« meint Buck
(mit Mann) die geistig-moralische Tat im Sinne der Ideale
der Französischen Revolution (vgl. Anm. zu 432,32) und
des deutschen Liberalismus (vgl. Anm. zu 13,27 f.), im
Dienste der Menschen und der Demokratie. Vgl. Manns
Essays *Geist und Tat* (1910) und *Zola* (1915); in letzterem
heißt es: »Geist ist Tat, die für den Menschen geschieht; –
und so sei der Politiker Geist, und der Geistige handle!«
(*Essays*, S. 212). Aber Buck ist (auch) nicht »tatbereit«
(S. 193 des Romans), er hofft nur, daß die Tat eines macht-
besessenen, kaisertreuen Untertans wie Heßling nie Wirklichkeit werde (S. 301), und resigniert am Ende des Romans (vgl. S. 432). Er ist also eigentlich »ein Gegner der
Tat« (Schröter, 1971, S. 21) und stellt den »Verfall liberaler Gesinnung in Dekadenz und Tatlosigkeit« (Scherpe,
S. 278), den Zerfall von »Geist« und »Tat« (die in dem
alten Buck noch als ein Ganzes verkörpert sind) dar (Werner, 1972, S. 246).

300,22 *die französische Trikolore:* die 1792 durch die Revolution eingeführte dreifarbige Fahne (blau, weiß, rot) der
französischen Republik.

301,19–21 *Lieber lassen wir . . . auf der Strecke:* Anspielung
auf die Rede vom 16. 8. 1888, als der Kaiser nach der Enthüllung eines Denkmals für Prinz Friedrich Karl, der 1870
bei Mars-la-Tour einen Sieg über die französische Armee
errungen hatte, verkündete, »daß wir lieber unsere
gesamten 18 Armeekorps und 42 Millionen auf der Strecke
liegen lassen, als daß wir einen einzigen Stein von dem,
was mein Vater und der Prinz Friedrich Karl errungen
haben, abtreten« (Schröder, S. 5; bei Penzler I, S. 21 und
Johann, S. 44, heißt es statt »Strecke« »Walstatt«).

301,22 *Denn wo der deutsche Aar:* In einer Rede vom
1. 3. 1898 sagte der Kaiser: »Denn wo der *deutsche Aar
Besitz ergriffen* und die Krallen in ein Land hineingesetzt
hat, das ist deutsch und wird deutsch bleiben« (Schröder,
S. 25; Penzler II, S. 83; Johann, S. 77).

301,23 f. *Nicht Parlamentsbeschlüsse:* Am 18. 4. 1891 äußerte der Kaiser in einer Rede: »Der Soldat und die Armee, nicht Parlamentsmajoritäten und -beschlüsse haben das Deutsche Reich zusammengeschmiedet« (Schröder, S. 5; Penzler I, S. 175).

301,24 *Die einzige Säule ist das Heer:* leicht abgewandeltes Zitat aus der Kaiserrede vom 18. 10. 1894 (Schröder, S. 6; Penzler I, S. 281; Johann, S. 65).

301,25–27 *Ihr seid berufen, mich . . . zu schützen:* Zitat aus der Kaiserrede vom 16. 11. 1893 (Schröder, S. 13; Penzler I, S. 255).

302,6 *Einen Feind:* Vor Rekruten sagte der Kaiser am 23. 11. 1891 laut *Neißer Zeitung:* »[...] es gibt für euch nur einen Feind und der ist mein Feind« (Schröder, S. 12; Penzler I, S. 197; Johann, S. 56). Vgl. Anm. zu 52,9–11 und 52,25.

302,9 *Ich kann sehr unangenehm sein:* Zitat aus der Rede vom 22. 9. 1894 (Schröder, S. 106; Penzler I, S. 279; Johann, S. 64), in der Wilhelm II. die polnischen Einwohner von Thorn warnte, sie hätten sich wie preußische Untertanen zu fühlen.

302,11 *Falsche Humanität:* Im Zusammenhang mit einem Strafprozeß in Berlin forderte der Kaiser in einem Schreiben vom 22. 10. 1891 an das Staatsministerium ein energischeres Vorgehen gegen Ausschreitungen des Zuhältertums und verlangte: »Es wird darauf hinzuwirken sein, daß die Gerichte sich nicht von einer *falschen Humanität* leiten lassen dürfen und demgemäß auch bei den ersten Fällen auf ein möglichst hohes Strafmaß erkennen« (Schröder, S. 189).

302,13 f. *Müssen ausgerottet werden bis auf den letzten Stumpf:* Anspielung auf die Kaiserrede vom 26. 2. 1897, zitiert nach der unwidersprochenen Meldung der *Berliner Zeitung:* »Die Sozialdemokratie, so erklärte der Kaiser, müsse ›ausgerottet werden bis auf den letzten Stumpf‹.« Statt dieser scharfen Wendung heißt es im offiziellen Text: »muß überwunden werden« (Schröder, S. 61; Johann, S. 70). Vgl. S. 361, 445 und Anm. zu 363,21.

305,19 *Parteibudiker:* Budike: Kneipe. Gemeint ist der Wirt eines Lokals, in dem die Sozialdemokraten sich treffen.

307,8 *Deutschtum heißt Kultur:* In Gnesen (seit 1919: Posen) sprach der Kaiser am 9. 8. 1905 über die Pflicht der Ostsiedler, »im Osten zu wirken«, statt »aus dem Osten« zu »weichen«, denn (so heißt es zum Schluß seiner Rede): »*Deutschtum heißt Kultur, Freiheit für jeden,* in Religion sowohl wie in Gesinnung und Betätigung (Schröder, S. 108 f.). Im Zusammenhang mit der Kanalisationsdebatte hat das Zitat im Roman eine satirische Funktion.

307,11 f. *Die Schweinerei muß ein Ende nehmen:* Zu dem preußischen Kultusminister Zedlitz soll der Kaiser dies in einer Kronratssitzung (über den Widerstand gegen das Volksschulgesetz in liberalen Kreisen) gesagt haben (vgl. Fontanes Brief an seine Tochter vom 26. 3. 1892, in seinen *Familienbriefen,* Bd. 2, Berlin 1905, S. 273 f.; auch bei Schröder, S. 154).

310,8–10 *Blick eines großen Bildnisses . . . in roter Husarenuniform:* ein Kaiserbildnis, vielleicht nach dem Bild von Wilhelm II. als Großem Kurfürsten (vgl. Hartau, S. 94)? In Manns Roman *Der Kopf* erscheint der Kaiser (»der rote Husar«) in einer roten Husarenuniform (S. 365); so erscheint auch Wulckow später im *Untertan* (S. 439 und 440). Husar: urspr. berittener ungarischer Soldat, seit dem 16. Jahrhundert auch in anderen Ländern Angehöriger einer leichten Reitertruppe in ungarischer Uniform.

312,8 *Säbelraßler:* »Säbelrasseln« ist seit den 1860er Jahren sowohl als Ausdruck für militärische Großsprecherei als auch für geräuschvolle Kriegsdrohungen zu belegen.

318,17 *Koofmich:* abschätzig für: Kaufmann.

319,30–32 *besser . . . das Denkmal . . . im Herzen als das Säuglingsheim in der Tasche:* satirische Verkehrung des Sprichworts »Besser der Spatz in der Hand als die Taube auf dem Dach«, die S. 382 noch eine groteske Weiterentwicklung findet.

321,35 f. *Denken Sie an das Gottesgericht im ›Lohengrin‹:*

Wenn Wolfgang Buck auf das »Gottesgericht« in Richard Wagners Oper *Lohengrin* (vgl. Anm. zu 327,2 und 329,18) anspielt, so ist dies, wie Süßenbach (S. 88) zeigt, nicht als Parallele, sondern als Kontrast zu verstehen, denn Heßling spielt im Roman beide Rollen: die des – überdies hinterhältigen – Anklägers (vgl. Telramund) und die des – angeblichen – Retters (vgl. Lohengrin).

327,2 ›*Lohengrin‹*: romantische Oper in drei Aufzügen (1850) von Richard Wagner (1813–83). Über eine Aufführung des *Lohengrin* in Augsburg berichtet Mann in einer Karte vom 15. 10. 1913 an Maria Kanová: »Ich habe Beobachtungen im Sinne Diederichs u. Gustes gemacht, habe alles notirt u. mache vielleicht einige hübsche Seiten daraus. Wie viel Dummheit in so einem Wagner-Helden, in dem Chor, in allem!« (Zit. nach: *Heinrich Mann 1871 bis 1950*, S. 129.) Zur Wirkung Wagners im Kaiserreich vgl. Manns Essay *Kaiserreich und Republik* (*Essays*, S. 409). Zu Manns *Lohengrin*-Parodie im Zusammenhang mit der Romanstruktur bes. Hillman; Ricken/Riedel, S. 209; Hocker, S. 55–57, 106–108. Durch die Vermittlung des Bühnengeschehens über die kommentierende und interpretierende Romanfigur Heßling wird die mittelalterliche Opernhandlung der Romanwirklichkeit angeglichen. Der Untertan Heßling, der »mitspielen« möchte (S. 328), entlarvt sich auch hier als Schauspielertyp seiner Zeit.

327,30 *Ortrud:* Gemahlin des brabantischen Grafen Telramund.

328,34–36 *deutsche Treue ... bedroht von den jüdischen Machenschaften:* Es ist die von Nietzsche in seiner Schrift *Ecce homo* vorgenommene Gleichsetzung der Wagner-Verehrung mit dem deutschen »Antisemitismus«, dem »Willen zur Macht (zum ›Reich‹)«, die laut Schröter (1965, S. 82) die *Lohengrin*-Episode im *Untertan* bestimmt hat.

329,18 *Das Gottesgericht:* I,2 (S. 16 der Ausgabe in Reclams Universal-Bibliothek, nach der im folgenden zitiert wird). Lohengrin, der »gottgesandte« (S. 17, 19) Retter, der von

Elsas Unschuld überzeugt ist, besiegt ihren Ankläger Telramund im Zweikampf (I,3; S. 23 f.) und heiratet sie (II,5; S. 46).

329,32 f. *Ob Schwanen- oder Adlerhelm:* Lohengrin erscheint »in glänzender Silberrüstung, den Helm auf dem Haupte« (I,3; S. 19). Vgl. S. 55 des Romans (ein »junger Herr im Helm, der Kaiser«), S. 346 (»erschien, unter dem Blitzen seines Adlerhelms, der blonde Herr des Nordens«). In seinem Essay *Kaiserreich und Republik* nennt Mann den Kaiser »einen Überallundnirgends im Adlerhelm« (*Essays,* S. 406). (Abb. des Kaisers als Obersten Kriegsherrn mit Adlerhelm bei Balfour, 1967, vor S. 352; Karikaturen bei Wendel.)

330,10 f. *wie ein besserer Bundesfürst:* Die Bundesfürsten, besonders die kleineren wie den Grafregenten von Lippe in Detmold (vgl. Schröder, S. 102–105), behandelte der Kaiser gern als Untergebene, die sie nach der Reichsverfassung nicht waren.

330,11 f. *Er sang . . . die Siegeshymne mit:* I,3 (S. 24 f.).

330,21 f. *»Erhebe dich, Genossin meiner Schmach!«:* Rede Telramunds an seine Gemahlin Ortrud (II,1; S. 27).

330,31 f. *»Es gibt ein Glück, das ohne Reu«:* II,2 (S. 35).

330,34/331,1 f. *Edlen und Mannen / treue Untertanen Lohengrins:* II,3 (S. 35 f.).

331,3 f. *Den Reichstag bringen wir auch noch so weit:* vgl. Anm. zu 231,27 f.

331,5 *Wie . . . Ortrud vor Elsa in das Münster treten wollte:* II,4 (S. 39).

331,11 f. *ob er seinen Namen verraten . . . sollte:* II,5 (S. 45).

331,20 *der Hochzeitsmarsch:* vgl. Bühnenanweisung zu Anfang des 3. Akts (S. 47).

331,33 f. *»Wonnen, die nur Gott verleiht«:* III,2 (S. 49).

332,14 f. *»Atmest du nicht mit mir die süßen Düfte«:* III,2 (S. 50).

332,28 f. *Telramunds feiges Attentat mißlang durch Gottes Fügung:* III,2 (S. 53). – Am 6. 3. 1901 war der Kaiser in Bremen durch ein nach ihm geworfenes Eisenstück an der

Wange verletzt worden. Am nächsten Tag unterrichtete der Reichstagspräsident die Abgeordneten vom Attentat (und benutzte dabei die bei solcher Gelegenheit übliche Redensart): »Es scheint bis jetzt, daß durch Gottes Fügung die Verletzung keine gefährliche ist« (zit. nach Dehem, 1955, S. 48).

332,32 *Nach der Verwandlung:* vor III,3 (S. 54).

332,33–35 *»für deutsches Land ... bewährt«:* III,3 (S. 55).

332,37 *»Überall wurde an mir gezweifelt«:* III,3 (S. 57): »Zu lohnen ihres Zweifels wildem Fragen, / sei nun die Antwort länger nicht gespart.«

333,14 f. *Eine letzte Frechheit Ortruds:* III,3 (S. 61 f.).

333,16 f. *deckte ... auch Elsa das Schlachtfeld:* III,3 (S. 63).

333,19 *der junge, soeben eingetroffene Gottfried:* Elsas Bruder (stumme Rolle); III,3 (S. 62): »Seht da den Herzog von Brabant! / Zum Führer sei er euch ernannt!«

333,30 f. *Die Geschichte mit dem Gral:* III,3 (S. 57 f.).

334,19 f. *Ich fühl ... Mann:* I,3 (S. 21): »Ich fühl das Herze mir vergehn, /schau ich den hehren, wonnevollen Mann!«

334,25 f. *Das Theater ist auch eine meiner Waffen:* Am 16. 6. 1898, anläßlich seines zehnjährigen Regierungsjubiläums, sagte der Kaiser vor Mitgliedern der Königlichen Schauspiele Berlin: »Ich war der Überzeugung und hatte mir fest vorgenommen, daß das Königliche Theater ein *Werkzeug des Monarchen* sein sollte, gleich der Schule und der Universität [...]. Ebenso soll das Theater beitragen zur Bildung des Geistes und des Charakters und zur Veredlung der sittlichen Anschauungen. *Das Theater ist auch eine meiner Waffen*« (Schröder, S. 158; Penzler II, S. 98; Johann, S. 78).

334,30–32 *Zustimmungstelegramm an Wagner ... nicht mehr zu machen:* Wagner starb schon 1883.

334,34 *Unter den Künsten gab es eine Rangordnung:* Hier geht Heßling mit der offiziellen und akademischen Poetik des Kaiserreichs konform, die ungeachtet der regen Produktion von Romanen und deren Beliebtheit diese Gattung als minderrangig einstufte. Seine Begründung, das

Musikdrama Wagners brauche man nicht zu lesen, ent-
puppt sich als die »Ideologie des Lesefaulen« (Žmegač,
S. 317).

336,6 *Fisimatenten:* Ausflüchte, Umstände.

337,23 *arrondiert:* arrondieren: (Grundbesitz) abrunden,
zusammenlegen.

338,16 *Zickzackkurs:* ein Ende der neunziger Jahre aufgekommenes und gegen den »neuen Kurs« (1890–94) des
Kaisers (vgl. Anm. zu 98,8) gerichtetes Schlagwort.

339,14 *Schreiben Sie ... Ihr Entlassungsgesuch:* Bismarck
hatte sein Entlassungsgesuch (am 18. 3. 1890) erst geschrieben, als der Kaiser ihn dazu aufforderte.

341,3 *Kronenorden:* bis 1919 Verdienstorden in Preußen,
Bayern und Württemberg.

341,19 *Bevor wir zur Sache selbst schreiten:* »Bis in den pri-
vatesten Vollzug hinein ist Heßling seiner personalen
Identität beraubt und zum Werkzeug seines Kaisers geworden, so daß Guste fragen muß, ob er das denn überhaupt noch sei« (Emmerich, S. 93). Eine Parallele zwischen
Guste und der Kaiserin Auguste Viktoria ziehen Dehem
(1955, S. 44) und Banuls (1966, S. 227; 1970, S. 98). »Am
6. Mai 1882 schenkte [sie] ihrem Gatten den ersten Sohn
und erfüllte auch fernerhin ihre dynastischen Pflichten,
indem sie jedes Jahr pünktlich einen Preußenprinz ablie-
ferte« (Hartau, S. 27).

342,10 *Baedeker:* deutscher Verlag für Reisehandbücher in
Leipzig, von Karl Baedeker (1801–59) gegründet.

342,18 *Beletage:* erster Stock.

342,24 *Odaliske:* weiße türkische Haremssklavin.

343,2 f. *der Kaiser unterwegs nach Rom:* Das Kaiserpaar trat
am 20. 4. 1893 die Reise nach Rom zur silbernen Hochzeit
des italienischen Königspaars an. Reisen waren (neben
Reden und Jagden; vgl. Anm. zu 436,29 f.) überhaupt eine
Lieblingsbeschäftigung des Kaisers; für das Jahr 1893/94
allein wurden 199 Reisetage berechnet (Ludwig, S. 192).
Der Journalist Maximilian Harden prägte das Wort vom
›Reisekaiser‹.

343,33 f. *Sie beneiden uns wohl auch um unsern Kaiser:* Laut Dehem (1955, S. 49) äußerte der deutsche Botschafter in Wien, Philipp Eulenburg, 1896 in Gegenwart des österreichischen Herrschers, die Deutschen würden überall um ihren Kaiser beneidet. Vgl. auch S. 358.

345,22 *Quirinal:* ein Palast in Rom, seit 1870 Residenz des Königs von Italien.

346,28 *Tschako:* Kopfbedeckung mit Schild und zylinderförmigem Oberteil der Jäger- und Verkehrstruppen sowie der Seebataillone im kaiserlich-deutschen Heer, nach 1918 von der Schutzpolizei getragen.

346,29 *eine neue Uniform:* In seinem Essay *Kaiserreich und Republik* schreibt Mann: »Da jagte er durch das Land [. . .] mit seinen siebzig Uniformen« (*Essays*, S. 406).

347,21 *Swinegel:* (niederdt.) Igel. Gemeint ist das Märchen vom Wettlauf zwischen dem Hasen und dem Igel.

347,36 f. *demütig rankte sie sich an ihm hinauf:* vgl. den Namensscherz des Brautvaters in Fontanes Roman *Effi Briest* (1895): »Geert [der Vorname von Innstettens], wenn er nicht irre, habe die Bedeutung von einem schlank aufgeschlossenen Stamm, und Effi sei dann also der Efeu, der sich darum zu ranken habe« (Kap. 3). Vgl. in ähnlichem Sinne auch Anm. zu 442,20 f.

349,23 f. *der kein Schattenkaiser war:* vgl. Anm. zu 135,25. Es handelt sich hier übrigens um eine umstrittene Interpretation in der modernen Geschichtsforschung: Während die ›Bielefelder Schule‹ (vor allem Hans-Ulrich Wehler) die historisch-politischen »Strukturen« des Kaiserreichs untersucht und daraus folgert, daß Wilhelm II. nur die Rolle eines »Schattenkaisers« gespielt habe (vgl. Wehler, S. 72), versucht die biographisch orientierte Forschung – besonders in England –, im Gegenteil das »persönliche Regiment« eines autokratischen Kaisers zu zeigen; vgl. Röhl (Hrsg.) 1982, S. 6 f.; Röhl (1987) Kap. 4. Zur Kritik an Wehler und Röhl vgl. jetzt Cecil, der beide Interpretationen für unrealistisch, d. h. zu einseitig, hält (S. 416 f., Anm. 92; ferner S. 259–262), sowie Kohut, der den Kaiser

als »persönliches Symbol der Nation« interpretiert (s. bes.
S. 169–171).

351,2 f. *der Kaiser ... habe seinen Reichstag aufgelöst:* Die
Militärvorlage fand, auch in einer abgeschwächten Form,
nicht die Mehrheit, worauf Reichskanzler Caprivi den
Reichstag am 6. 5. 1893 auflöste.

356,20 *koscher:* rein (nach den jüdischen religiösen Speise-
vorschriften); im weiteren Sinne umgangssprachlich: ›sauber‹, unbedenklich.

357,30 f. *die schwarz-weiß-rot geränderten Plakate:* in den
Farben der deutschen Nationalflagge 1871–1918, die der
Kaiser in einer Rede vom 2. 5. 1898 deutete: »So bedeutet
Schwarz die Arbeit und die Trauer, Weiß Feiertag und
Ruhe und Rot das Blut, welches viele Vorfahren für das
Vaterland vergossen haben« (Schröder, S. 25).

358,4 f. *Umsturz und ›Partei des Kaisers‹:* Der historische
Streit um die Militärvorlage spielte sich nicht zwischen
zwei politischen Gruppen ab, sondern war von den ver-
schiedenartigsten Interessen vor allem beim Zentrum, den
Liberalen und den Konservativen bestimmt, was zu merkwürdigen Ad-hoc-Koalitionen wie auch zum Zerfall von
Fraktionen führte; vgl. Conze (S. 25) sowie Arntzen
(S. 3 f.), der darauf hinweist, daß es bei den Wahlen von
1893 auch keine Verbindung gab zwischen einer Kaiser-
partei und den Sozialdemokraten, wie sie im Roman das
Netziger Wahlergebnis bestimmt (vgl. Anm. zu 395,34).
Die »Partei des Kaisers« steht laut Emmerich (S. 58)
sowohl für die konservative Partei als auch für den Alldeutschen Verband (1891–1939), in dem sich »der rechts-
radikale, völkische Nationalismus mit seinem abstrusen,
aber zukunftsreichen Konglomerat rassistischer, panger-
manischer und expansionistischer Ideologien« zusam-
menballte (Wehler, S. 93).

358,14 f. *Wollt ihr, daß euer Kaiser euch Kolonien schenkt?:*
Das Verlangen nach Kolonien stand im Zentrum der Welt-
und Flottenpolitik des Kaisers (besonders der Chinapoli-
tik 1897–1900).

359,27 f. *Wir sind das Salz der Erde:* Dieses Bibelzitat
(Mt. 5,13) hatte auch der Kaiser in einer Rede vom
23. 3. 1905 auf die Deutschen bezogen (Schröder, S. 36).

359,33 f. *die erste Wahlversammlung:* vgl. die »Wahl in
Rheinsberg-Wutz« (Kap. 16–20) in Fontanes Roman *Der
Stechlin* (1898), die sowohl zeitlich als auch sachlich der
Wahl im *Untertan* nahesteht. Gemeinsamkeiten bestehen
vor allem in der Geistesverwandtschaft und rhetorischen
Geschicklichkeit der beiden Parvenüs, des Papierfabrikan-
ten Heßling und des Mühlenbesitzers Gundermann (vgl.
Ebersbach, S. 152; Stock, S. 148), der z. B. den »Fort-
schritt« als die »Vorfrucht« der Sozialdemokratie (vgl.
Heßling, S. 50) oder alle sozialen Neuerungen als »Wasser
auf die Mühlen der Sozialdemokratie« bezeichnet (vgl.
Heßling, S. 116, 118: »Fahrwasser«), das bourgeois-selbst-
gerechte »Das kommt davon« gern verwendet (vgl. Heßling, S. 294, 333) und abfällig vom Reichstag spricht.

359,36 f. *Der Wille des Königs ist das höchste Gebot:* Anspielung auf eine Kaiserrede vom 18. 5. 1903 (Schröder, S. 11).

361,22–24 *das Heer . . . unser Bollwerk gegen die Schlammflut der Demokratie:* 1884 sprach Wilhelm als Kronprinz
von der Notwendigkeit einer »Bastion gegen die heran-
stürmenden Wellen der Anarchie und liberalisierenden
Demokratie« (*Aus meinem Leben 1859–1888*, S. 298 f.).
Heinrich Mann bekannte sich dagegen etwa seit 1909/10
leidenschaftlich zur Aufklärung, Französischen Revolution und Demokratie; vgl. seinen Roman *Die kleine Stadt*
(1909), den er im Anschluß an Thomas Mann als »das
Hohelied der Demokratie« bezeichnete (Haupt, 1980,
S. 52), sowie die literarischen und politischen Essays,
besonders *Geist und Tat* (1910), *Voltaire – Goethe* (1910),
Zola (1915) und *Kaiserreich und Republik* (1919).

362,10 *Jedem das Seine:* lat. »Suum cuique«, Wahlspruch
Friedrichs I. von Preußen und des preußischen Schwarzen
Adlerordens.

363,21 *von der Pest des Umsturzes befreien:* Über die Kaiserrede vom 26. 2. 1897 heißt es in einer unwidersproche-

nen Meldung der *Berliner Zeitung*: »In bezug auf die Sozialdemokratie forderte der Kaiser auf, [das Land] von dieser *Pest zu befreien*, die [das] Volk durchseucht.« Im offiziellen Text heißt es statt »Pest« »Krankheit« (Schröder, S. 61; Penzler II, S. 40; Johann, S. 70).

364,30–32 *keinen ewigen Frieden, denn das sei ein Traum und nicht einmal ein schöner:* Zitat aus einem Brief des Generalfeldmarschalls Hellmuth von Moltke vom 11. 12. 1880 an den Heidelberger Rechtswissenschaftler Johann Kaspar Bluntschli.

364,32 f. *eine spartanische Zucht der Rasse:* Laut Nerlich äußert Heßling hier, »was kein Goebbels hätte genauer formulieren können« (S. 472); es liege auf der Hand, »daß sich diese Forderung auch auf die ›degenerierten‹ Franzosen [S. 359, 363], den ›Erbfeind‹ [S. 424] ausdehnen ließ, und vor allem auf den Juden« (S. 473). Zu Rassenideologie und Antisemitismus in den neunziger Jahren vgl. Zmarzlik in *Die Juden als Minderheit in der Geschichte*, S. 258 f.; Puhle, S. 121–125.

365,25 f. *der Trompeter von Säckingen:* Titel des 1854 erschienenen romantisierenden Versepos von Joseph Viktor von Scheffel, das zur Lieblingslektüre des bürgerlichen Publikums gehörte und 1882 die 100., 1892 die 200., 1914 die 300. Auflage erreichte.

370,14 *die Elenden:* laut Dehem (1955, S. 60) eine Bezeichnung des Kaisers für die Sozialdemokraten. Sein Sohn, Kronprinz Wilhelm, benutzte das Wort in diesem Sinne beim Empfang einer Deputation von Arbeitern am 16. 12. 1902 (Schröder, S. 68).

378,10/12 *Frechheiten / Umsturz:* Heßling droht mit dem »Umsturz«, weil Leutnant von Brietzen, der ›freche‹ Junker, sich weigert, seine Schwester zu heiraten. Es handelt sich hier (wie auch früher, S. 312, wo Wulckow ihn verächtlich behandelt hatte) aber nur um einen »Anfall von Auflehnung« (S. 378), sonst fügt er sich, wird zum Untertan.

380,12 *Er sah Emmi an und dachte auch an Agnes:* Ein Vorbild für Emmi war Manns Schwester Carla, die Schauspielerin war und sich am 30. 7. 1910 das Leben nahm.

385,31 *bei Marslatuhr:* Am 16. 8. 1870 schnitten die deutschen Truppen bei Mars-la-Tour und Vionville der auf Sedan zurückgezogenen französischen Armee den Rückzug ab.

386,14 f. *seit Ihrer Entlassung sind Sie unter die Nörgler gegangen:* Anspielung darauf, daß Bismarck nach seiner Entlassung andauernde Kritik am persönlichen Regiment des Kaisers übte, vor allem durch Artikel in den *Hamburger Nachrichten*, die mittelbar oder unmittelbar von ihm verfaßt waren.

393,36–394,1 *Mein afrikanisches Kolonialreich für einen Haftbefehl gegen Eugen Richter:* wohl ein erfundenes Kaiserzitat (vgl. Anm. zu 100,29).

395,34 *Fünftausend und mehr Stimmen für Fischer:* Die historischen Neuwahlen fanden am 15. 6. 1893 statt. Die Rechte gewann nur unbedeutend, das Zentrum ging schwach zurück, der gespaltene linke Liberalismus (vgl. Anm. zu 358,4 f.) erlitt eine Niederlage; dieser Verlust kam den Sozialdemokraten zugute, die bei starkem Stimmenzuwachs (300 000 Stimmen) von 35 auf 44 Mandate stiegen.

399,10 *um die Militärvorlage abzulehnen:* Die Vorlage wurde im neuen Reichstag mit einer knappen Mehrheit angenommen.

401,7–9 *meine äußere Erscheinung in Einklang zu bringen mit meinen nationalen Überzeugungen:* Gemeint ist eine operative Verkleinerung seiner übergroßen Ohren. Vgl. Anm. zu 113,12. Schröder (S. 83) führt in diesem Zusammenhang eine Unterhaltung zwischen Wilhelm II. und dem Generaldirektor der Hamburg-Amerika-Linie, Albert Ballin, am 18. 6. 1901 an: »Der Monarch deutete an, daß er Herrn Ballin für einen Ministerposten in Aussicht nehme, und der Direktor hielt es daher für seine Pflicht, dem Kaiser zu sagen: ›Majestät scheinen nicht zu wissen, daß ich Jude bin.‹ Der Kaiser warf ein: ›Nun, das läßt sich doch ändern!‹ ›Nein, Majestät‹, bemerkte Herr Ballin, ›das läßt sich nicht ändern. Ich bin Jude aus Überzeugung.‹«

401,19 *die Internationale:* Kampflied der internationalen sozialistischen Arbeiterbewegung.

409,12 f. *voll der Hoffnung, mit der er … gesehen hatte:* Mit diesem Satz endete die 32. und letzte Fortsetzung (vom 13. 8. 1914) des Vorabdrucks in der Zeitschrift *Zeit im Bild* (s. S. 86 des vorliegenden Bandes).

409,33 *Regierungssonne:* d. h. Gunst der Regierung (vgl. »Gnadensonne«, S. 109, 340 f., 355, 434), eine der zahlreichen Bezeichnungen der (kaiserlichen) Macht im Roman.

410,25 *Krankenunterstützungen:* Durch die fortschrittliche, später auf Betreiben des Kaisers ausgebaute Sozialgesetzgebung Bismarcks (1883, 1884, 1889) waren Arbeitgeber und Arbeiter angehalten, Beiträge an eine Krankenkasse zu zahlen, die letztere im Krankheitsfall entschädigte. Heßling verspricht seinen Arbeitern also etwas, was ihnen schon aufgrund der bestehenden Gesetzgebung zukommt.

410,25 f. *billige Lebensmittel:* durch Begünstigung der Konsumvereine; vgl. die Kaiserrede vom 8. 8. 1912, in der u. a. die Konsumanstalten der Firma Krupp gelobt werden (Krieger, S. 305).

410,28 *dem Unglauben … zu steuern:* Zitat aus der Kaiserrede vom 8. 9. 1906 (Krieger, S. 38; Johann, S. 115).

410,30–32 *Solange in der Welt … Zwietracht geben:* leicht abgewandeltes Zitat aus der Kaiserrede vom 3. 2. 1899 (Penzler II, S. 147).

412,9 f. *die Notwendigkeit einer Umsturzvorlage war bewiesen:* Schröder (S. 58) schreibt: »Am 6. Dezember 1894 tagte der Reichstag zum ersten Male in seinem neuen Heim am Königsplatz. Bei dem vom Präsidenten ausgebrachten Kaiserhoch blieb neben einigen anderen sozialdemokratischen Abgeordneten auch [Wilhelm] *Liebknecht* [1826–1900] sitzen, worauf die Rechte großen Tumult machte. Am 9. Dezember wurde das Reichstagspräsidium vom Kaiser empfangen. Der Monarch bezeichnete […] den Vorfall vom 6. Dezember als sehr bedauer-

lich [. . .]. Ein solcher Vorgang beweise deutlich die *Notwendigkeit der sogenannten Umsturzvorlage* [. . .].« Zu
diesem Vorfall vgl. auch (korrigierend) Dehem (1955)
S. 54 f.

412,13 f. *Die Mehrheit … war gewissenlos genug, die Vorlage
abzulehnen:* Die Umsturzvorlage wurde am 17. 12. 1894
dem Reichstag vorgelegt, der sie am 11. 5. 1895 ablehnte.

412,15/30 *ein Industrieller ward ermordet / wieder ein
Opfer mehr:* Anläßlich der Ermordung eines Mülhause-
ner Fabrikanten sandte der Kaiser im Oktober 1895 ein
Telegramm an den Statthalter von Elsaß-Lothringen,
worin er noch vor Abschluß der Untersuchung die Sozialdemokratie für den Mord verantwortlich machte: »Wieder
ein Opfer mehr der von *Sozialisten angefachten Revo-
lutionsbewegung*« (Schröder, S. 59). Die gerichtliche Untersuchung ergab keinen solchen Zusammenhang. Wilhelm II. und seine Familie fühlten sich ständig von Atten-
tätern bedroht, besonders nachdem am 24. 6. 1894 der
französische Staatspräsident Sadi Carnot von einem Anar-
chisten ermordet worden war.

412,33 f. *Zuchthausstrafen für Streikende:* Zitat aus der
sogenannten ›Zuchthaus-Rede‹ des Kaisers vom 6. 9. 1898
(Schröder, S. 62 f.; Penzler II, S. 112 f.; Johann, S. 80). Die
Zuchthausvorlage wurde im Juni 1899 dem Reichstag vorgelegt, am 20. 11. 1899 abgelehnt. Innerhalb von zehn Jahren also hatte sich die Ansicht des Kaisers in der sozialen
Frage genau in ihr Gegenteil gewandelt; jetzt wollte er die
strengen Maßnahmen, die Bismarck damals gefordert
hatte.

415,22 *anonyme Briefe:* Anspielung auf den sogenannten
Kotze-Skandal. Zentner (S. 98) schreibt: »Im Herbst 1892
erschütterte ein riesiger Skandal die Welt des Hofes. Rund
200 anonyme Briefe bekamen Mitglieder der Hofgesell-
schaft mit Klatsch, persönlichen Beleidigungen, unzwei-
deutigen Vorwürfen, durchsetzt mit pornographischen
Bildern, bei denen die Originalköpfe abgeschnitten waren

und durch Porträts von prominenten Mitgliedern der Hofgesellschaften ersetzt worden waren. [...] Hofmarschall Graf Leberecht von Kotze, der völlig unschuldig in den Skandal verwickelt war [er wurde im Juni 1894 verhaftet, der aufsehenerregende Prozeß endete jedoch mit seinem Freispruch], tötete seinen Hauptverleumder im Duell, wurde aber niemals rehabilitiert.« Vgl. Schröter (1971, S. 37), der auf die Erörterung dieser Affäre in Fontanes *Stechlin* (Kap. 24) hinweist.

418,33 f. *Mein Haus ist meine Burg:* nach dem englischen »My house is my castle«, das auf einen Rechtsspruch bei Sir Edward Coke (1551–1633) zurückgeht.

418,35–419,1 *Gretchen / Horst / Kraft:* vgl. Manns Novelle *Gretchen* (s. S. 79 des vorliegenden Bandes). Die ›altdeutschen‹ Vornamen Horst und Kraft waren um die Jahrhundertwende in Mode, letzterer besonders beim Adel. Heßlings Sohn Horst tritt in Manns Roman *Die Armen* als negativer Charakter auf.

419,4 *Seine Auffassung vom Eheleben war die strengste:* Zum Ehe- und Familienleben Wilhelms II. (strenger Familienvater, gelangweilter Ehemann, der sich aber nicht Frauen zu Geliebten, sondern wiederholt effeminierte Männer zu Freunden gesucht hat) s. Ludwig, S. 190; Balfour (1972), S. 87 f., Hull, S. 21.

419,9 f. *für meine Söhne bin ich dem Kaiser verantwortlich:* Nerlich (S. 475 f.) schreibt: »Ersetzte man ›Kaiser‹ durch ›Führer‹, so hätten wir die Aussage eines linientreuen Nationalsozialisten vor uns: ›Die deutsche Frau trinkt nicht, raucht nicht und schminkt sich nicht‹, hieß es im Dritten Reich, und auch für Diederich steht fest, daß die Frauen zum Kinderkriegen da sind.«

419,13 *die drei großen ›G‹:* sächsische Abart der ›drei großen K‹: »Die Kaiserin hatte keinerlei politischen Ehrgeiz. Sie regierte, wie man bei Hof zu sagen pflegte, lediglich ihre drei K: Kinder, Kirche, Küche« (Zentner, S. 35).

420,9 *keine Bazillen zu dulden:* Wie Ludwig (S. 196) schreibt, war Wilhelms II. Angst vor Krankheiten »so groß, daß er mit der Kaiserin, die einen Prinzen mit Lungenentzündung pflegt, nur in freier Luft zusammentrifft, dagegen ablehnt, den Sohn zu besuchen, der doch keine Ansteckung bringen kann.«

420,16 *Lektüre des ›Lokal-Anzeigers‹:* vgl. Anm. zu 160,18 f. »Am 31. Mai 1901 teilte die ›Kreuzzeitung‹ mit, daß der im Verlage Scherl erscheinende ›Berl. Lokalanzeiger‹ *regelmäßig vom Kaiser gelesen* werde« (Schröder, S. 190 f.); dagegen Ludwig (S. 209): »Nicht der Kaiser, nur die Kaiserin las regelmäßig den ›Lokalanzeiger‹.«

420,17 *daß leben nicht notwendig sei, wohl aber schiffahren:* In einer Rede vom 18. 10. 1893 zitierte Wilhelm II. diesen antiken Ausspruch, den Plutarch von dem römischen Feldherrn Pompejus überliefert und dessen lateinische Version »Navigare necesse est« zu einer allgemeinen Devise der Seefahrt wurde.

420,19 *Kaiserin Friedrich:* die englische Prinzessin Victoria (1840–1901), Tochter der Königin Victoria, 1858 mit dem späteren Kaiser Friedrich III. (1888) vermählt, Mutter Wilhelms II. Man nahm ihr übel, daß sie englische Sitten am Hofe einzuführen versuchte, im Familienkreis oft englisch sprach und mit ihren in England verbliebenen Angehörigen einen häufigen Briefwechsel führte. Hier wird vielleicht auf die Aktion Wilhelms II. unmittelbar nach dem Tod seines Vaters (15. 6. 1888) in Schloß Friedrichskron, dem Neuen Palais in Potsdam, angespielt: Argwöhnisch, daß Staatspapiere schon seit Wochen nach London gegangen seien, stellte der neue Kaiser alle im Schloß Anwesenden, sogar die Mutter, unter Hausarrest.

420,22 f. *Gegen England brauchten wir eine starke Flotte:* Ende der neunziger Jahre verstärkte der Kaiser seine kolonial- und weltmachtpolitischen Bestrebungen durch den Aufbau einer deutschen Flotte, die vor allem die maritime Überlegenheit Englands herausfordern sollte.

420,27 f. *dem Prinzen von Wales ... einen freundschaftlichen Schlag versetzt:* vielleicht Anspielung auf die Taktik des neuen Kaisers vor seinem ersten Staatsbesuch

(Oktober 1888) in Wien: Wilhelm II. ließ wissen, daß sein Staatsbesuch Vorrang vor dem zugleich angesagten Privatbesuch des englischen Thronfolgers (später Edward VII., 1901–10) habe; der Prinz von Wales wurde gezwungen, vor der Ankunft des Kaisers – seines Neffen – in Wien weiter nach Bukarest zu reisen.

420,32–34 *wie ich England hasse ... dies Volk von Dieben und Händlern:* Laut Dehem (1955, S. 57) nannte Wilhelm II. die Engländer in einer an den Rand eines diplomatischen Berichts (1914) geschriebenen Bemerkung »dies verhaßte, verlogene, gewissenlose Krämervolk«. Diese Bemerkung hatte der Kaiser aber vermutlich schon öfters gemacht, so z. B. Ende 1912 (vgl. Kennedy, S. 388). Vgl. Anm. zu 445,7 f.

420,36 *in der ersten, stärkeren Form, nicht in der abgeschwächten:* vgl. z. B. Anm. zu 52,9–11, 217,25 f., 301,19–21, 302,13 f., 440,7, 445,14–17. Eggert (S. 302) weist auf den Unterschied zwischen den Redensammlungen von Penzler und Schröder hin – »Während bei Penzler die Reden in vollem Wortlaut abgedruckt sind, und zwar in einer Fassung, wie sie in offiziellen oder offiziösen Zeitungen (vor allem Reichsanzeiger und Norddeutsche Allgemeine Zeitung) wiedergegeben wurden, beschränkt sich Schröder auf die Zusammenstellung der Kernstellen. Da die offiziellen Fassungen des nächsten Tages häufig Abweichungen [vor allem Abschwächungen] enthielten, versäumte er auch nicht, den drastischen Wortlaut, wie ihn andere Quellen [z. B. Telegramme] überliefern, abzudrukken« – und vergleicht das Schlagwortduell zwischen Heßling und Wolfgang Buck in der »Harmonie« (S. 301 f.) mit der Schröderschen Technik der Zusammenstellung von Kernstellen.

421,10 *Der Dreizack gehört in unsere Faust:* vgl. die Kaiserrede vom 18. 6. 1897 (Schröder, S. 25; Penzler II, S. 53; Johann, S. 71). Der Dreizack, das Attribut des antiken Meeresgottes Neptun, steht hier als Sinnbild für die Seeherrschaft.

421,12 *Hubertusstock:* Jagdschloß des Kaisers in Brandenburg.

421,20 *mit siebenundfünfzig Mark:* vgl. dagegen die jähr-
liche Zivilliste des Kaisers (laut Dehem, 1955, S. 58):
17 720 000 Mark. Zu »laufenden Gnadenbewilligungen«
des Kaisers für Institute, einzelne Personen, Kinder von
Hofbeamten und alte Leute aus dem Hofgartenbetrieb
vgl. Ludwig, S. 198.

421,23 *Ehrenbailli des Malteserordens:* Wilhelm II. wurden
am 12. 2. 1907 die Abzeichen eines Ehrenbailli des katho-
lischen Malteserordens überreicht; er sprach bei dieser
Gelegenheit von der Rolle, die der Orden »in dem Kampfe
gegen den menschenfeindlichen Geist des Unglaubens und
des Umsturzes« zu spielen habe (Krieger, S. 61).

422,2 *ob der Kaiser und der Zar sich treffen würden:* An-
spielung auf die Begegnung des Kaisers und des Zaren
Nikolaus II. im Juli 1905 an Bord der »Polarstern« in der
Bucht von Björkö im Finnischen Meerbusen. Zu dieser
Begegnung und des Kaisers Plan eines Schutz- und Trutz-
bündnisses mit Rußland, das durch den Reichskanzler
Bülow und das Auswärtige Amt beanstandet wurde und
zurückgerufen werden mußte, vgl. Ludwig, S. 159–164;
Hartau, S. 72 ff.

423,24–26 *»Je schöner ... die Kneip«:* Diesen wie auch weitere »Wirtshaussprüche« (vgl. S. 427) hat Mann schon in
seinem Notizbuch von 1906/07 verzeichnet.

424,16 *Realpolitiker:* Dieser von Ludwig von Rochau
(*Grundsetze der Realpolitik*, 1853) geprägte Begriff sollte
den deutschen Liberalismus, der sich 1848/49 allzusehr
von reiner Ideologie hatte leiten lassen, zur Anpassung
seines Programms an die politische Wirklichkeit mahnen.
Der Ausdruck wurde besonders auf die Politik Bismarcks
angewandt, der als der eigentliche Repräsentant einer
realistischen Politik galt.

424,22 *heute ... Industrie und Technik:* Der Kaiser sagte in
einer Rede vom 29. 11. 1902: »Das neue Jahrhundert wird
beherrscht durch die Wissenschaft, inbegriffen die Tech-

nik, und nicht, wie das vorige, durch die Philosophie.
Dem müssen wir entsprechen« (Penzler III, S. 139 f.;
Johann, S. 107).

424,35 *quos ego:* In Virgils *Aeneis* (I,35) beschwichtigt der
Meeresgott Neptun die Winde mit dem Ausruf »Quos
ego!« – »Euch werd' ich!«

424,36 *unser Erbfeind Frankreich:* ein um 1813 in Erinne-
rung an die Kriege Ludwigs XIV. geprägtes, 1870 wieder
aufgekommenes Schlagwort. Mann sagt in seinem Essay
Kaiserreich und Republik: »Nur als Sieger, in nachwirken-
der Erbitterung gegen den Besiegten, schien das Reich sich
erhalten zu können. Der Erbfeind mußte bleiben, damit
nur das Erbe blieb« (*Essays,* S. 394).

425,1–3 *Die Flotte . . . tat uns bitter not:* leicht abgewandeltes Zitat aus der Kaiserrede vom 18. 10. 1899 (Schröder,
S. 28; Penzler II, S. 176; Johann, S. 82).

425,3 f. *unsere Zukunft lag tatsächlich auf dem Wasser:*
leicht abgewandeltes Zitat aus der Kaiserrede vom
23. 9. 1898 (Schröder, S. 26; Penzler II, S. 115; Johann,
S. 81). Laut Saitschick (S. 139) vertrat Wilhelm II. schon
als Kronprinz eine leidenschaftliche Flottenpolitik und
gab schon damals diese Parole aus.

425,14 f. *Eine Landung in England war der Traum:* Anspielung auf angebliche Angriffspläne Deutschlands für die
Zeit um 1910. In England erschien eine Reihe sogenannter
»war (oder: invasion) scare«-Romane, besonders die Bestseller von Robert Erskine Childers (*The Riddle of the
Sands,* 1903) und William LeQueux (*The Invasion of 1910,*
1906 in der Londoner *Daily Mail* vorabgedruckt). Aber
auch in Deutschland wurden Pläne eines Überraschungs-
angriffs in der Presse lebhaft diskutiert und in der Popu-
lärliteratur (z. T. durch Übersetzungen englischer Romane) thematisiert. Das englische Naval Intelligence
Department nahm die Möglichkeit einer deutschen Landung ernst, zweifelte aber nach ausführlicher Untersuchung ihre Durchführbarkeit an; wohl aus diesem Grund
kam es in Deutschland nie zu einem offiziellen Angriffs-

plan. Zu diesem Thema vgl. Balfour (1972) S. 266 f.; Kennedy, S. 252 f., 376 f.

425,20 *die christlichen Kanonen tun gute Arbeit:* vgl. Johann (S. 31) zu dem preußischen Prinzip, »daß der Pastor der verlängerte Arm der Regierung sei [. . .]. Kirchenfromm sein und regierungsfromm sein, war die gleiche Sache. Rekruten vereidigen und Kanonen segnen.«

428,6 *›Sanges an Ägir‹:* ein von Wilhelm II. gemeinsam mit Philipp Eulenburg verfaßtes patriotisches Lied, das am 9. 6. 1894 bei einem Hofkonzert in Potsdam aufgeführt wurde und eigentlich als Kampflied für die Marine gedacht war (Ägir ist der Gott des Meeres in der nordischen Mythologie); vgl. die Kaiserrede vom 3. 3. 1895 (Penzler I, S. 297). Der Text (in *Das Wilhelminische Deutschland,* S. 48 f.) wurde auch in Schulbücher aufgenommen. Zur Kritik des Liedes als Schöpfung eines Dilettanten vgl. Maximilian Harden, »Kaiserliche Kunst«, in: *Die Zukunft* (Berlin) 9 (1894), bes. S. 296; zur satirischen Abrechnung Manns mit seiner eigenen Begeisterung über das Lied, das »zu einer herrlichen Standarte werden« könne (*Das Zwanzigste Jahrhundert,* 5,2, 1896, S. 315), vgl. Weisstein (1962, S. 135; 1973, S. 136 f.).

429,6 f. *bald kam er sichtlich wegen Emmi:* Wolfgang Buck, der skeptische Gegenspieler im Roman, der aber am Ende resigniert, assimiliert sich in dem Roman *Die Armen* sogar durch Einheirat in die Heßlingsche Familie.

429,24 f. *Bismarck hat es auch so gemacht mit Österreich:* Anspielung auf den Krieg mit Österreich 1866 sowie auf das Verhältnis zwischen den drei Kaisern (Deutsches Reich – Österreich – Rußland) 1873 beim Aufbau eines Bündnissystems für die siebziger und achtziger Jahre (vgl. Mommsen, S. 108 ff.).

431,1 *dieses Müllager:* Emmerich (S. 115, Anm. 5) vermutet, daß Mann hier das Denkmal für Kaiser Wilhelm I. am Deutschen Eck bei Koblenz im Auge gehabt haben könnte, das Kurt Tucholsky später (»Denkmal am Deutschen Eck«, 1930) u. a. als »Faustschlag aus Stein«, »gigan-

tischen Tortenaufsatz«, »steinernes Geklump«, »Trumm«
und »gefrorenen Mist« beschrieben hat.

431,9–12 *Napoleon der Dritte ... als Besiegter:* Louis
Napoleon (1808–73), französischer Kaiser, verbrachte sieben Monate (September 1870 bis März 1871) in preußischer Gefangenschaft auf Schloß Wilhelmshöhe bei Kassel
(vgl. S. 363). Mann hat in seinem Essay *Kaiserreich und
Republik* Parallelen zwischen dem Deutschen Kaiserreich
und dem bonapartistischen Frankreich gezogen: die
Reichsgründung 1871 sei »ein emphemerer Handstreich,
im Wesen verwandt mit jenem, der Napoleon den Dritten
auf den Thron erhob« (*Essays*, S. 394); das Deutsche Kaiserreich wiederhole »das Kaisertum Napoleons des Dritten mit seiner blendenden Fassade, inneren Mürbheit, seiner Theaterregie, Prestigepolitik, seinem falschen Anstrich
von Sozialismus auf der frechsten Kapitalsorgie, seinem
Militärabsolutismus in konstitutioneller Verkleidung –
nur massiger hier alles und dümmer« (ebd., S. 397). Und
wie in Emile Zolas Romanzyklus *Die Rougon-Macquart*,
der das Bürgertum des bonapartistischen Frankreich schildert, Napoleon III. in den meisten Romanen präsent ist,
jedoch selten – mit Ausnahme von *La Débâcle* (1892) –
direkt in Erscheinung tritt – diesen Kunstgriff würdigt
Mann ausdrücklich in seinem *Zola*-Essay (1915; *Essays*,
S. 196) –, so trifft das auch für die Gestalt Wilhelms II. im
Untertan zu.

431,16 *Paladine:* Das Wort (von lat. *palatinus* ›kaiserlich‹)
bezeichnete ursprünglich die Begleiter Karls des Großen,
später allgemein den ritterlichen Gefolgsmann.

431,24 *Theater, und kein gutes:* Nägele (S. 43) schreibt:
»Über das ›mystisch-heroische Spektakel‹ der wilhelmini-
schen Ära fällt das Urteil [Wolfgang Bucks]. Es ist dies die
Bestätigung des Urteils, das früher schon ein [junger
Künstler] gefällt hatte« (S. 56 des Romans). Vgl. dagegen
Heßling: »Das ist das einzige, erstklassige Theater, es ist
das Höchste, da kann man nichts machen!« (S. 439.)

432,32 *die erste Revolution:* die Französische Revolution

von 1789. Mann schreibt in seinem Essay *Kaiserreich und
Republik*: »Unter uns Menschen des zwanzigsten Jahr-
hunderts lebt auf und handelt weiter die französische
Revolution. Sie ist ewig, ist übernationales Geschehen im
Angesicht der Ewigkeit« (*Essays*, S. 428). Vgl. Anm. zu
361,22–24.

433,32 *Siegesallee:* Die Idee einer Siegesallee in Berlin mit
Standbildern sämtlicher Fürsten Brandenburgs und Preußens setzte Wilhelm II. aus eigener Initiative durch (1898
bis 1901). Johann (S. 28) schreibt: »Das Haus Hohenzollern bestätigen, das heißt für Wilhelm II., sich selbst bestätigen. [. . .] deshalb schließlich der Gedanke einer ›Siegesallee‹ – welche ›die unbekanntesten Markgrafen scharen-
weise der Vergessenheit entreißt‹ [*Frankfurter Zeitung*,
Nr. 138 vom 19. 5. 1899]«; Mann ironisiert das durch die
erfundenen Gestalten des Markgrafen Hatto des Gewaltigen, des Mönchs Tassilo und des Ritters Klitzenzitz. Man
hat die Siegesallee als »vollkommenen Ausdruck des
Byzantinismus« (Reventlow, S. 166), als »Spiegelbild der
ganzen Epoche« (Lange, *Berlin zur Zeit Bebels und Bismarcks*, S. 790) bezeichnet; die Berliner haben sie kritisiert
und verspottet, z. B. als »Panoptikum« oder als »Puppen-
Allee« (Karl Scheffler, »Die Siegesallee«, in: *Die Zukunft*
24, 1901, S. 500).

434,12 f. *Diederich bestimmte . . . Horst der Kunst:* Heßling
lernt die Kunst erst dann schätzen, als er einsieht, daß auch
sie der Macht dienstbar und dem Herrscher genehm sein
kann.

435,1 *›Woche‹:* eine vom Scherl-Verlag (vgl. Anm. zu 147,24)
herausgegebene Illustrierte, in der »die Sucht der Wilhelminischen Zeit nach Repräsentation [. . .] gemäßen Ausdruck in einem wahren« Kult von ›Persönlichkeiten‹
[fand], allen voran Seine Kaiserliche Majestät« (Lange, *Das
Wilhelminische Berlin*, S. 286).

435,25 f. *Absolutismus, gemildert durch Reklamesucht:* Wolfgang Bucks ironische Kritik an dem Reich Wilhelms II.
findet ihre Entsprechung in der ernstgemeinten Kritik

Diederich Heßlings an dem Reich Napoleons III. (S. 444). Vgl. hierzu auch Manns Essay *Kaiserreich und Republik* (*Essays*, bes. S. 397).

436,29 f. *auf der Jagd mit Majestät ... Witz gerissen:* Anspielung auf die Vorliebe des Kaisers für Jagd (vgl. Ludwig, S. 103; Zentner, S. 76 f.) und derbe »Herrenwitze« (vgl. Balfour, 1972, S. 148; Hull, S. 37; Banuls, 1966, S. 226; Johann, S. 24: »und wer ›einen neuen‹ wußte, war schon in seiner Gunst«).

439,8 f. *der Einzugsmarsch der Gäste auf der Wartburg:* in Wagners Oper *Tannhäuser und der Sängerkrieg auf Wartburg* (1845) II,3.

439,33 f. *Train-Reserveleutnantsuniform:* Train: Troß, für den Nachschub sorgende Truppen.

439,35 *Ulan:* ursprünglich leichter polnischer Lanzenreiter; in Preußen und Deutschland bis zum Ersten Weltkrieg Angehöriger der schweren Kavallerie.

440,7 *werden wir der Schrecken der ganzen Welt sein:* Anspielung auf die berüchtigte »Hunnen-Rede« des Kaisers vom 27. 7. 1900, in der er die deutschen Truppen, die zur Unterdrückung eines gegen Ausländer gerichteten Aufstands nach China geschickt wurden, zu rücksichtslosem Durchgreifen aufforderte: »Wie vor 1000 Jahren die Hunnen unter ihrem König Etzel sich einen Namen gemacht, der sie noch jetzt in Überlieferung und Märchen gewaltig erscheinen läßt, so möge der Name Deutscher in China auf 1000 Jahre durch Euch in einer Weise bestätigt werden, daß es niemals wieder ein Chinese wagt, einen Deutschen auch nur scheel anzusehen« (Schröder, S. 41). Eine abgeschwächte offizielle Fassung der Rede gibt Johann (S. 90 f.) wieder.

440,27 f. ›*Vortreten zum Beten‹:* Gemeint ist das niederländische Dankgebet »Wir treten zum Beten« von Adrian Valerius (1626). Die volkstümlich gewordene Übersetzung und Umdichtung stammt von Joseph Weyl.

440,30 *Landwehruniform:* Zur Landwehr gehörten 1805 bis 1945 die Wehrpflichtigen vom 35. bis zum 45. Lebensjahr.

440,35 f. *man gab ... dem alten Alliierten die Ehre:* Gemeint ist Gott, den der Kaiser z. B. in einer Rede vom 24. 2. 1892 als »Alliierten« der preußischen Truppen in einigen siegreichen Schlachten der deutschen Geschichte bezeichnet hatte (Penzler I, S. 209; Johann, S. 58).

441,1 ›*Ein feste Burg‹:* »Ein feste Burg ist unser Gott«, das ›Trutzlied‹ des Protestantismus von Martin Luther, zuerst 1529 erschienen.

441,25–27 *Hundert Jahre ... geschenkt ward:* leicht abgewandeltes Zitat aus der Kaiserrede vom 22. 3. 1897 anläßlich der Hundertjahrfeier für Kaiser Wilhelm I. in Berlin (Penzler II, S. 41).

441,36 f. *Der Ozean ist unentbehrlich für Deutschlands Größe:* leicht abgewandeltes Zitat aus der Kaiserrede vom 3. 7. 1900 (Penzler II, S. 208; Johann, S. 89).

442,3 f. *das Weltgeschäft ist heute das Hauptgeschäft:* erfundene Ergänzung zu dem vorangegangenen Zitat aus der Kaiserrede vom 3. 7. 1900, die die Profitgier des imperialistischen Untertanen satirisch enthüllt (vgl. Siefken, 1973, S. 76). In seinem Essay *Kaiserreich und Republik* spricht Mann von dem »gefallenen Kaiserreich, das ein Geschäftsunternehmen war« (*Essays*, S. 421).

442,20 f. *daß wir ... uns efeuartig an ihr emporranken dürfen:* abgewandeltes Zitat aus der Kaiserrede vom 6. 9. 1894: »Wie der Efeu sich um den knorrigen Baum legt, [...] so schließt sich der preußische Adel um mein Haus« (Schröder, S. 58). Vgl. Anm. zu 347,36 f.

442,25 f. *der einfache Mann aus der Werkstatt ist willkommen:* vgl. die Kaiserrede vom 5. 12. 1902: »Sendet uns [...] den einfachen schlichten Mann aus der Werkstatt, [...] und freudig werden wir ihn willkommen heißen als Arbeitervertreter des deutschen Arbeiterstandes, nicht als Sozialdemokraten« (Penzler III, S. 142).

442,34 f. / 443,10 *Höhe germanischer Herrenkultur / ein Herrenvolk:* Diese Schlagworte knüpfen an Nietzsches Begriff der »Herren-Moral« an (in *Jenseits von Gut und Böse*). Mann hat diese Vorstellung mehrfach kritisch aufgegriffen (etwa in *Zeitalter*, S. 170; *Kaiserreich und Republik – Essays*, S. 398).

443,10 *in einem schlaffen, faulen Frieden:* Dieses Bekenntnis zum Krieg als Quelle aller sittlichen Energie ist laut Dehem (1955, S. 61) mehr im Sinne der Alldeutschen (vgl. Anm. zu 358,4 f.), etwa des Kronprinzen Wilhelm (1882 bis 1951), als im Sinne Wilhelms II. zu verstehen (vgl. die Thronrede vom 25. 6. 1888; Penzler I, S. 13). In *Kaiserreich und Republik* schreibt Mann, die kriegerische Rhetorik des Kaisers (vgl. Anm. zu 231,15 und 440,7) sei nur »ein dramatisches Requisit« gewesen: »er wollte nicht, was er sprach« (*Essays*, S. 413).

443,12 *das deutsche Gold im Feuer zu bewähren:* abgewandeltes Zitat aus der Kaiserrede vom 18. 1. 1901 (Penzler III, S. 10).

443,13 *Schmelzofen von Jena und Tilsit:* vgl. die Kaiserrede vom 18. 10. 1902 (Schröder, S. 183). In der Schlacht bei Jena wurden die Preußen am 14. 10. 1806 von Napoleon besiegt; durch den Frieden von Tilsit im Juli 1807 verlor Preußen die Hälfte seines Gebiets.

443,18–22 *das prüfungsreiche Leben ... Instrument baut:* leicht abgewandeltes Zitat aus der Kaiserrede vom 10. 5. 1896 (Schröder, S. 179; Penzler II, S. 17).

443,24–27 *Augenblick, wo er als König von Gottes Gnaden ... die Krone nahm:* leicht abgewandeltes Zitat aus der Kaiserrede vom 10. 5. 1896. Wilhelm I. hatte sich bei seiner Krönung am 18. 10. 1861 als König von Gottes Gnaden proklamiert, in einer Zeit also, wo die Theorie des Gottesgnadentums weitgehend durch die Volkssouveränitätslehre abgelöst worden war. Wilhelm II. beruft sich oft in seinen Reden auf das Gottesgnadentum der Hohenzollern; vgl. Anm. zu 156,31.

443,30–33 *nicht zurückgeschreckt ... entbinden können:* leicht abgewandeltes Zitat aus der Kaiserrede vom 31. 8. 1897 (Schröder, S. 181; Penzler II, S. 61; Johann, S. 73).

443,34–36 *die Persönlichkeit des dahingegangenen Kaisers*

geradezu vergöttert: Formulierung aus der zweiten Kaiserrede vom 1. 7. 1896 in Wilhelmshaven (Schröder, S. 180; Penzler II, S. 24).

443,37–444,1 *Im Mittelalter wäre Wilhelm der Große heiliggesprochen worden:* leicht abgewandeltes Zitat aus der Kaiserrede vom 26. 2. 1897 (Schröder, S. 180; Penzler II, S. 39; Johann, S. 69).

444,17 *Materialismus:* vgl. die Kaiserrede vom 16. 6. 1898 an die Mitglieder der Königlichen Schauspiele Berlin: »Ich bitte Sie nun, daß Sie mir fernerhin beistehen, [...] im festen *Gottvertrauen* dem Geiste des Idealismus zu dienen und den *Kampf gegen den Materialismus* und das undeutsche Wesen fortzuführen« (Schröder, S. 158; Penzler II, S. 209; Johann, S. 78).

444,27 *Chauvinismus:* übersteigerte Vaterlandsliebe und Feindseligkeit gegen andere Völker; nach dem Rekruten Chauvin, einer Figur in dem Lustspiel *La cocarde tricolore* (1831) der Brüder Théodore und Hippolyte Cogniard. In seinem Essay *Reichstag* (1911) bezeichnet Mann den »widerwärtig interessanten Typus des imperialistischen Untertanen« auch als »Chauvinisten ohne Mitverantwortung« (*Macht und Mensch*, S. 21 f.).

445,7 f. *Deutsch sein heißt eine Sache um ihrer selbst willen tun:* Dieser Satz wird häufig Wagner zugeschrieben; vgl. Theodor W. Adorno: »Erinnert sei an die berühmteste Formel des deutschen kollektiven Narzißmus, die Wagnersche: deutsch sein heißt, eine Sache um ihrer selbst willen tun. Unleugbar die Selbstgerechtigkeit des Satzes, auch der imperialistische Oberton, der den reinen Willen der Deutschen dem vorgeblichen Krämergeist zumal der Angelsachsen kontrastiert« (»Auf die Frage: Was ist deutsch«, in: T. W. A., *Stichworte. Kritische Modelle 2*, Frankfurt a. M. 1969, S. 104). Nerlich (S. 474) zitiert den nationalsozialistischen Schriftsteller Felix Lützkendorf: »Wir sind ernst, treu und wahr! Deutsch sein, heißt eine Sache um ihrer selbst willen zu tun!«

445,11 f. *das Weibliche zieht uns hinan:* Abwandlung der

letzten Zeilen von Goethes *Faust*, gesprochen vom Chorus mysticus: »das Ewig-Weibliche zieht uns hinan«.

445,14–17 *auf dem Boden des Christentums / jede heidnische Kultur … erliegen:* leicht abgewandeltes Zitat aus der »Hunnen-Rede« des Kaisers (vgl. Anm. zu 440,7). Dieser Passus (Schröder, S. 41) fehlt in der offiziellen Fassung der Rede (Johann, S. 90 f.).

445,20–23 *nach wie vor die höchste Pflicht … im Waffenhandwerk:* Zitat aus der Kaiserrede vom 18. 10. 1902 (Schröder, S. 184); vgl. auch die Kaiserrede vom 7. 7. 1901 (Penzler III, S. 38).

445,33 *die unsere staatliche Ordnung untergraben wollen:* Worte aus der Thronrede des Kaisers vom 25. 6. 1888 (Schröder, S. 49; Penzler I, S. 13).

445,35–446,3 *wenn wir dereinst … sagen darf: ›Ja!‹:* leicht abgewandeltes Zitat aus der Kaiserrede vom 6. 5. 1898 (Schröder, S. 182; Penzler II, S. 90).

446,13–16 *Wenn jetzt die Hülle fällt … im Präsentiergriff blitzen:* Zitat aus der Kaiserrede vom 29. 5. 1903 (Schröder, S. 184; Penzler III, S. 160).

446,34 ›*Heil dir im Siegerkranz‹:* offizielle preußische Kriegshymne, auf die Melodie des englischen Liedes »God save the King« gesungen.

447,12 *da platzte der Himmel:* vgl. S. 54, wo die Arbeiterdemonstrationen durch Naturvergleiche (»wie übergetretenes Wasser«; »wie aus einer Gewitterwolke«) veranschaulicht werden. Jetzt, in der Schlußszene, ist der Naturvorgang, wie Emmerich (S. 100) zeigt, »der entscheidende, dem menschlich-soziale Abläufe zugeordnet werden«. Nägele (S. 40) verweist auf den Zusammenhang mit dem von Heßling »immer wieder beschworenen ›Umsturz‹, der aus dem Volk kommen kann und das Theater der Macht bedroht«. Manns Verwendung der Gewittermetaphorik ist in der Forschung unterschiedlich beurteilt worden; Emmerich (S. 102 f.) schreibt hierzu: »Die konträren Wertungen [z. B. von Riha, S. 56; Werner (1972) S. 246; Kaufmann, S. 116] scheinen […] in dem Punkt fehlzuge-

hen, daß sie den Autor auf *eine* Tendenz festlegen wollen:
Prognose der Revolution – oder Resignation. Die Schlußszene ist dagegen so komponiert, daß sie den beiden
widersprechenden Tendenzen Raum läßt und das Di-
lemma nicht aufzulösen vorgibt. Die Gewittermetaphorik in ihrer sozial-politischen Bedeutung gibt einer
Hoffnung Ausdruck – und ist gleichzeitig, so verwendet,
Zeichen von Hilflosigkeit. Aber die Ambivalenz des literarischen Bildes ist nicht nur Ausdruck der Gespaltenheit
des Autors; sie ist auch in Übereinkunft mit der geschichtlichen Wirklichkeit, und in diesem Sinne: *realistisch.*«

447,31 f. *Dragoner:* leichte Reiter.

448,35 *wie auf einem untergehenden Schiff:* laut Roper
(S. 236) wohl eine Anspielung auf den Untergang des bri-
tischen Ozeandampfers »Titanic« im Jahre 1912, bei dem
die Bordkapelle während des Sinkens weiterspielte.

449,15 *gottgesandten Männern:* vgl. Wagners *Lohengrin*
(I,3): »Sei gegrüßt, du gottgesandter Mann!«
idealen Gütern: Der Kaiser sagte in einer Rede vor Stu-
denten am 18. 1. 1895: »Helfen Sie mir die *idealen Güter
dem Volke zu erhalten*, die im Jahre 1813 unser Volk
begeisterten und die auch im Jahre 1870 ihre Wirkung
taten« (Schröder, S. 152; Penzler II, S. 8 f. – dort ist die
Rede auf den 18. 1. 1896 datiert).

449,17 *die apokalyptischen Reiter:* die vier in der Offenbarung des Johannes (6,1–8) geschilderten Reiter, die Pest,
Krieg, Hungersnot und Tod symbolisieren.

450,14 f. *Der Wilhelms-Orden ... für hervorragende Ver-
dienste:* Die Verleihung dieses Ordens, der von Wilhelm II. zum 25jährigen Gedenktag der Reichsgründung
18. 1. 1896 gestiftet wurde, an Heßling wird hier zur Farce
degradiert.

451,25 *Er hat den Teufel gesehen!:* vgl. S. 252 (»als erblickte
er den Teufel«). Zur Interpretation vgl. Emmerich, S. 95:
»Der widerwärtig interessante Typus des Untertans [vgl.
Anm. zu 444,27] wird mit dem Teufel, dem Prinzip des
Bösen schlechthin gleichgesetzt. Kein Verstehen, kein

Erklären, kein ironisches Spiel mehr mit dem Widerpart. Der Schluß des Romans ist eine Kriegserklärung des unbedingten Moralisten Heinrich Mann an die Gesellschaftsordnung, in der er lebte. Handelt es sich doch, wie der Roman exemplifiziert, um *gesellschaftlich erzeugtes Teufelswerk*, nicht um metaphysische Macht des Bösen.« Das Kaiserreich, sagt Mann in seinem Essay *Kaiserreich und Republik*, »schuf sich eine Ideologie des Bösen« (*Essays*, S. 411 f.).

II. Entstehungs- und Druckgeschichte

1. Entstehungsgeschichte

In seiner Autobiographie *Ein Zeitalter wird besichtigt* (1946) erinnert sich Heinrich Mann an die langwierige Entstehungsgeschichte seines *Untertan*-Romans:

»Auch die Romane, in denen ich das Zeitalter besichtigte, brauchten viel Weile, ein hartnäckiges Verweilen. Den Roman des bürgerlichen Deutschen unter der Regierung Wilhelms II. dokumentierte ich seit 1906. Beendet habe ich die Handschrift 1914, zwei Monate vor Ausbruch des Krieges – der in dem Buch nahe und unausweichlich erscheint.«

> Heinrich Mann: Ein Zeitalter wird besichtigt. Düsseldorf: Claassen, 1974. [Zit. als: Zeitalter.] S. 187. – Mit Genehmigung des Aufbau-Verlags, Berlin.

Die früheste Andeutung für die Entstehung des Romans gibt aber ein erst 1980 veröffentlichter Brief Heinrich Manns an Ludwig Ewers vom 10. April 1904: »Nun hat sich mein Plan gewendet. Ich habe kein Mittel gefunden, den Roman um den Kaiser herum zu formen.« Zudem fällt das Wort »Untertanenseele« zum erstenmal in dem Roman *Professor Unrat* (Hamburg: Claassen, 1959, S. 185), der im Sommer 1904 entstand und 1905 erschien.
Erste »lebendige Eindrücke« (*Zeitalter*, S. 222) stammen aber sonst aus dem Jahr 1906. Als die Ur-Version, aus der sich Figuren und Situationen seines Romans entwickelt hätten, nennt Heinrich Mann 1927 die Erscheinung eines Mannes, der 1906 in einem Sanatorium im Harz den Anblick seiner Nacktheit zum besten gab – einer Nacktheit, die ihn als den geborenen Untertan auswies; vgl. Frédéric Lefevre, »Une heure avec Heinrich Mann«, in: *Les Nouvelles Littéraires* (Paris), 24. 12. 1927, S. 1; berichtet von Dehem (1982,

S. 39).[1] Und im selben Jahr »betrachtete« er »in einem Café
Unter den Linden« (Berlin) »die gedrängte Menge bürgerlichen Publikums«:

»Ich fand sie laut ohne Würde, ihre herausfordernden
Manieren verrieten mir ihre geheime Feigheit. Sie stürzten
massig an die breiten Fensterscheiben, als draußen der Kaiser
ritt. Er hatte die Haltung eines bequemen Triumphators.
Wenn er gegrüßt wurde, lächelte er – weniger streng als mit
leichtsinniger Nichtachtung.
Ein Arbeiter wurde aus dem Lokal verwiesen. Ihm war der
absonderliche Einfall gekommen, als könnte auch er, für das-
selbe billige Geld wie die anders Gekleideten, hier seinen
Kaffee genießen. [. . .] Obwohl der Mann keine Gegenwehr
leistete, fanden der Geschäftsführer und die Kellner lange ihr
Genüge nicht, bis der peinliche Zwischenfall aus der Welt
war.«

Zeitalter. S. 222 f.

»Ich brauchte«, erinnert sich Heinrich Mann weiter, »sechs
Jahre immer stärkerer Erlebnisse, dann war ich reif für den
›Untertan‹, meinen Roman des Bürgertums im Zeitalter Wilhelms des Zweiten« (ebd., S. 223). Diese Reminiszenz ist
insofern irreführend, als sie den Eindruck erweckt, er habe
seinen Roman erst ab 1912 niedergeschrieben. Auch wenn es
in einem Brief an Alfred Kantorowicz vom 3. März 1943
konkreter heißt: »[. . .] meine ersten Notizen für den ›Untertan‹ sind von 1906. Geschrieben wurde er 1912 bis 1914« (zit.
nach Ihering, Anhang), sind jetzt folgende Entstehungsphasen bzw. Manuskriptstufen zu unterscheiden:[2] 1. Heinrich
Manns Notizbuch von 1906/07; 2. die Novelle *Gretchen*

1 Vgl. Anm. zu 58,17 f.
2 Vgl. hierzu grundlegend Kirsch/Schmidt. Zur Kritik an Kirsch/Schmidt
  vgl. bes. Weisstein (1962) S. 132, Anm. 3 (vgl. aber Nachtrag von Kirsch/
  Schmidt, S. 433); Banuls (1966) S. 218, Anm. 4; Emmerich, S. 108,
  Anm. 2. Zu den Entstehungsphasen bzw. Manuskriptstufen vgl. jetzt
  auch Schneider (Hrsg.), 1991, S. 499 ff.

(geschrieben 1907, veröffentlicht 1908);[3] 3. das Romanmanuskript (entstanden zwischen 1907 und 1914).

Das Notizbuch von 1906 bis etwa Juli 1907, das sich im Heinrich-Mann-Archiv (Nr. 468) befindet (Auszüge in: *Heinrich Mann 1871–1950*, S. 443–460), enthält S. 1–89 Notizen zum *Untertan*[4] (und zur *Gretchen*-Novelle; vgl. hierzu Kirsch/Schmidt, S. 115), u. a. einen Gesamtplan des Werkes unter der Überschrift »Entwurf für Kapitel I–VIII« (der fertige Roman hat nur sechs Kapitel), sowie stichwortartige Notizen, »Leitworte« (zeittypische Redensarten und Schlagworte, die Mann um sich herum hörte) und Entwürfe bzw. einzelne ausgeführte Episoden, Passagen und Dialoge. Aus Platzgründen muß hier auf den Abdruck dieser Entwürfe und Notizen verzichtet werden. Gemeinsamkeiten und Unterschiede zwischen Notizbuch und fertigem Roman lassen sich nach Wolfgang Emmerich so zusammenfassen:

»Die *Zentralgestalt* [...] stand dem Autor offenbar von Anfang an klar vor Augen und wurde von ihm als repräsentativ gesehen. In einem später nicht gedruckten ›Vorwort. Anleitung zum Lesen‹ heißt es, ›daß in einem wirklich monarchischem Volk zwei Drittel den wesentlichen Zug mit dem Fabrikanten Diederich Hänfling theilen‹ [*Heinrich Mann 1871–1950*, S. 457]. Aber ebenso wußte der Autor

---

3 Die Novelle *Gretchen* erschien nicht erst 1910, wie noch bei Emmerich (S. 31) angegeben, sondern schon 1908 in der Münchener Zeitschrift *Hyperion*, H. 1, S. 10–25. Sie zeichnet lediglich ein satirisches Genrebild vom Spießerleben im wilhelminischen Deutschland, in dem Diederich Heßling als patriotischer Fabrikant und bürgerlich satter Familienvater auftritt und seine Tochter Gretchen, die mit einem bierbäuchigen und frömmelnden Gerichtsassessor und Reserveleutnant (Klotzsche) verlobt ist, sich als ›modernes Weib‹ an die Umwelt der Verlogenheit und doppelten Moral anzupassen versucht: Sie möchte ein Verhältnis mit einem Schauspieler (Leon Stolzeneck) anfangen, wird dabei aber um ihren Verlobungsring betrogen und kehrt ernüchtert zu ihrem Verlobten zurück, der ihr den verlorenen Ring (»Wo er is, das kann ich dir nich sagen«) ersetzt. Zum Vergleich dieser Novelle mit dem Roman s. bes. Kirsch/Schmidt, S. 119; Weisstein (1962) S. 111 f.; Emmerich, S. 31.

4 Zum Romantitel im Notizbuch vgl. Anm. zu 5,2.

damals schon, daß es nicht ausreiche, diesen repräsentativen Typus statisch, als fertigen zu zeigen. Denn er ging schon im Notizbuch von einem ›Lernprozeß‹ (in die falsche Richtung) aus: vom ›weichen Knaben‹ (Entwurf Kap. I [ebd., S. 444 f.]) hin zum Untertan, der gleichzeitig Unterdrücker ist; der das in Berlin Gelernte in der Kleinstadt anwendet (Entwurf Kap. III [S. 446 f.]). Und zu seiner Verfassung nach der Rückkehr nach Netzig heißt es ›Liebe zu den Maschinen: wenn Alles am rechten Fleck ist, Alles funktionirt wie es soll; Niemand hat einen störenden Willen; man fühlt sich selbst in Ordnung und als Maschine: pünktlich und ohne Überraschungen. Die Frau fehlt noch: sie gehört zur Ordnung. Sagt: ‚Wenn ich erst verheirathet bin‘ – ohne zu wissen, was‹ [S. 447]. Freilich heißt es noch im Entwurf zu Kap. V ›Die geschäftliche Krise‹: ›Empfindet unbewußt seine falsche Entwicklung. Hätte klein und gemüthlich bleiben sollen [. . .]‹ [S. 448] – wie insgesamt die Gestalt Heßling noch mit mehr verstehendem Interesse und weniger satirischer, karikierender Pointierung, ja Haß angegangen wird; eine Entwicklung des Autors, die sicherlich der Entwicklung hin zur Entfesselung des Krieges geschuldet ist.

Die *Romanstruktur* ist im Groben schon 1906/07 vorhanden, der Miß-Bildungsroman schon projektiert: der Beginn mit dem Sozialisationsprozeß; die höhere Schule für ein Untertanenleben in der Hauptstadt; dann die Kleinstadt, als Focus von Untertanengesinnung, Borniertheit und Gemeinheit, ein vielversprechendes Probierfeld für den gelernten Untertan. Die Partien Kindheit, Berlin, Geschäftsübernahme waren dem Autor schon 1907 voll gegenwärtig (am deutlichsten erkennbar an den Notizen zum Verhältnis Diederich – Agnes Göppel – Vater Göppel – Mahlmann), und so gab es denn auch 1911/12 schon die ersten Vorabdrucke von Romanpartien aus dem späteren Kapitel 1.

Die *erzählte Zeit* ist, von den ersten Entwürfen bis zum fertigen Roman, stark zusammengeschrumpft. Im Stadium des Notizbuches plante Mann noch, Diederich als 45jährigen Familienvater mit erwachsenen Töchtern darzustellen (vgl.

Entwurf IV ff. [S. 448]) – ein Zeit- und Handlungssegment, das später in die Novelle ›Gretchen‹ und vor allem in den Roman ›Die Armen‹ (1917) eingeht.
Viele *Handlungsstränge*, *Nebenfiguren* und *Motive* des fertigen Romans fehlen im Notizbuch (zumal in der Kapitelgliederung) noch oder sind nur angedeutet, so z. B. die beiden Bucks, Wulckow und Napoleon Fischer; die ›Lohengrin‹-Aufführung, die Romreise, der Lauer-Prozeß. Eine wichtige Darstellungsebene – Diederichs Verquickung von Geschäftsexpansion und politischer Aktivität – ist noch gar nicht bzw. nicht plausibel ausgearbeitet. Und vor allem fehlen noch weitgehend all jene ästhetischen Elemente der Wiederholung, Spiegelung, Brechung, Zitation von Begegnungen, Gesprächen, Episoden usw. (Diederich – Kaiser, Diederich – alter Buck, Diederich – W. Buck, Diederich – Göppel / Diederich – Brietzen u. a. m.), die später den Roman so glänzend strukturieren und in sich interpretieren.«

Wolfgang Emmerich: Heinrich Mann: »Der Untertan«. München: Fink, 1980. ³1984. (Text und Geschichte. 2.) S. 29 f. © 1980 Wilhelm Fink GmbH & Co. Verlags KG, München.

In einem Brief an Ludwig Ewers vom 12. Juni 1907 schreibt Heinrich Mann:

»In München habe ich eine große Papierfabrik und auch die Bruckmannsche Kunstanstalt eingehend besichtigt: alles für meinen neuen Romanhelden. Er ist ziemlich gut fundiert, und heute habe ich die ersten Sätze niedergeschrieben. Wieder für lange Zeit eine große Last auf dem Buckel!«[5]

Heinrich Mann: Briefe an Ludwig Ewers. Berlin/Weimar: Aufbau-Verlag, 1980. S. 430 f. – Mit Genehmigung des Aufbau-Verlags, Berlin.

5 Hier ist auch an die wahrscheinliche Beschäftigung Manns mit der von Wilhelm Schröder 1907 herausgegebenen Auswahl von Reden des Kaisers zu erinnern (s. S. 6 des vorliegenden Bandes).

Wenn diese Mitteilung wie auch die spätere Bemerkung des
Autors, er habe seinen Roman »zwei Monate vor Ausbruch
des Krieges« beendet (zitiert zu Beginn des vorliegenden
Kapitels), stimmen, so ist (mit Emmerich, S. 31) daraus zu
folgern, daß Heinrich Mann sieben Jahre an dem Romanmanuskript gearbeitet hat, davon freilich am intensivsten in den
Jahren 1912–1914 (vgl. oben).[6] Daß Mann nicht erst ab 1912
seinen Roman geschrieben hat, geht auch daraus hervor, daß
schon Ende 1911 und 1912 Teile aus dem späteren ersten
Kapitel in der illustrierten Wochenzeitschrift *Simplicissimus*
(München: Albert Langen) vorabgedruckt wurden.

2. Druckgeschichte

Im *Simplicissimus*[7] wurden folgende Teile des Romans vor-
abgedruckt:
»Lebensfrühling«[8] [Romananfang]. In: Jg. 16, Nr. 35 vom
27. November 1911, S. 600 f. und S. 607.
»Die Neuteutonen«[9] [Kap. 1, S. 26 ff.]. In: Jg. 17, Nr. 4 vom
22. April 1912, S. 55–57 und S. 63.[9]
»Die Macht«[10] [Kap. 1, S. 42 ff.]. In: Jg. 17, Nr. 14 vom 1. Juli
1912, S. 216 f.
»Der Krawall (Februar 1982)« [Kap. 1, S. 52 ff.]. In: Jg. 17,
Nr. 24 vom 9. September 1912, S. 375–377.

 6 Zur Beschreibung des Romanmanuskripts (»1912–1914«) vgl. Kirsch/
   Schmidt, S. 120–125. – Mann schreibt am 14. 1. 1913 an Maximilian
   Brantl: »Mit dem Roman steht es nicht schlecht, nur daß starke nervöse
   Widerstände dazwischen kommen. Aber ich stehe in der Mitte (etwas
   drüber hinaus schon) und übersehe das Ganze, mit leidlicher Genug-
   thuung [. . .].«
 7 Zum *Simplicissimus* (der im Jahre 1908 eine Auflage von 90–100 000
   erreicht hatte) vgl. Fritz Schlawe, *Literarische Zeitschriften*, Bd. 1,
   Stuttgart 1961, S. 58 f.; Allen (1984).
 8 So lautet die erste Kapitelüberschrift im ersten Teil des Romanma-
   skripts (Kirsch/Schmidt, S. 121).
 9 Vgl. Anm. zu 26,14.
10 So lautet die Überschrift des ersten Teils des Romanmanuskripts sowie,
   übersetzt, auch der Titel des ersten Bandes der russischen Ausgabe von
   1915 (s. S. 87 des vorliegenden Bandes).

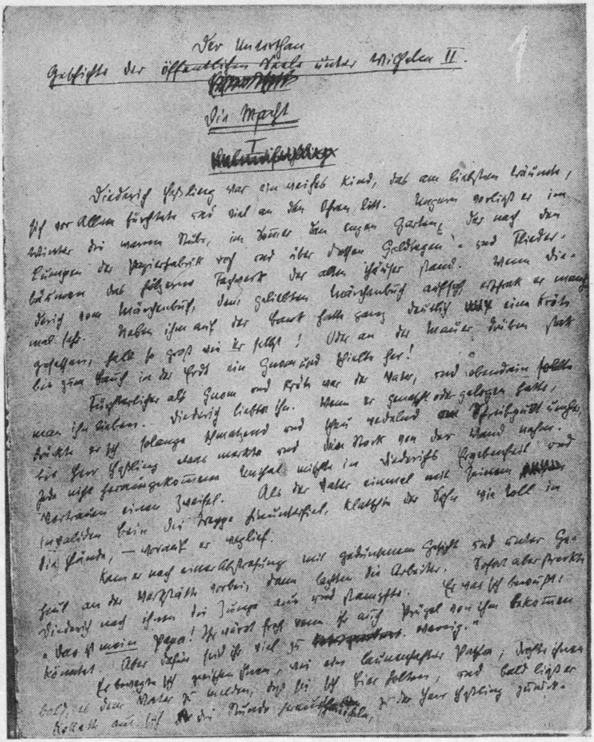

Der Untertan

Geschichte der öffentlichen Seele unter Wilhelm II.

Die Macht

I

Diederich Heßling war ein weiches Kind, das am liebsten träumte, sich vor Allem fürchtete und viel an den Ohren litt. Ungern verließ er im Winter die warme Stube, im Sommer den engen Garten, der nach den Lumpen der Papierfabrik roch und über dessen Goldregen- und Fliederbäumen das hölzerne Fachwerk der alten Häuser stand. Wenn Diederich vom Märchenbuch, dem geliebten Märchenbuch aufsah, erschrak er manchmal sehr. Neben ihm auf der Bank hatte ganz deutlich eine Kröte gesessen, halb so groß wie er selbst! Oder an der Mauer drüben stak bis zum Bauch in der Erde ein Gnom und schielte her!

Fürchterlicher als Gnom und Kröte war der Vater, und obendrein sollte man ihn lieben. Diederich liebte ihn. Wenn er genascht oder gelogen hatte, drückte er sich so lange schmatzend und scheu wedelnd am Schreibpult umher, bis Herr Heßling etwas merkte und den Stock von der Wand nahm. Jede nicht herausgekommene Untat mischte in Diederichs Ergebenheit und Vertrauen einen Zweifel. Als der Vater einmal mit seinem invaliden Bein die Treppe herunterfiel, klatschte der Sohn wie toll in die Hände, — worauf er weglief.

Kam er nach einer Abstrafung mit gedunsenem Gesicht und unter Geheul an der Werkstätte vorbei, dann lachten die Arbeiter. Sofort aber streckte Diederich nach ihnen die Zunge aus und stampfte. Er war sich bewußt: „Das ist mein Papa! Ihr würdet froh sein, wenn ihr auch Prügel von ihm bekommen könntet. Aber dafür seid ihr viel zu wenig." [illegible]

Die erste Seite des Manuskripts

Zwei weitere Episoden wurden in anderen Zeitschriften vorabgedruckt:[11]

»Jugendliebe«[12] [Kap. 1, S. 13 ff.]. In: *Licht und Schatten. Wochenschrift für Schwarzweißkunst und Dichtung* (Berlin/ München), Jg. 2 (1911/12), Nr. 20 (Anfang 1912, Heft nicht datiert), S. 2–7.
»Der Fall Lück« [Kap. 3, S. 129 ff.]. In: *März. Wochenschrift für deutsche Kultur* (München: Albert Langen), Jg. 7, H. 14 vom 5. April 1913, S. 10–16.[13]

Im März 1913 schloß die »moderne illustrierte Wochenschrift« *Zeit im Bild* (Berlin/München/Wien), eine Zeitschrift mit nationalliberaler Orientierung (Kirsch/Schmidt, S. 125), mit Heinrich Mann einen Vertrag ab, dem zufolge sein Roman »spätestens am 1. November« dort in Fortsetzungen erscheinen sollte, wobei der Chefredakteur Heinrich Michalski sich vorbehielt, »Streichungen von Stellen allzu erotischer Art« seien gemeinsam zu vereinbaren (Brief vom 25. März 1913, zit. nach Weisstein, 1973, S. 129). »Es zeigte sich, daß es dazu kaum Veranlassung gab« (GW VII, S. 439). Dafür mußte Heinrich Mann auf Wunsch der Redaktion verschiedene Stellen, die den Kaiser betrafen, so z. B. den Untertitel »Geschichte der öffentlichen Seele unter Wilhelm II.« oder Stellen in bezug auf den »Fall Lück«, streichen oder entschärfen (ebd., S. 440; *Heinrich Mann 1871–1950*, S. 130

11 Zu diesen Zeitschriften vgl. Fritz Schlawe, *Literarische Zeitschriften*, Bd. 2, Stuttgart 1962, S. 34, 73 f.
12 So lautet die zweite Kapitelüberschrift im ersten Teil des Romanmanuskripts.
13 Laut Emmerich (S. 33), der sich auf Kirsch/Schmidt (S. 433) bezieht, weicht der spätere Romantext von diesen Vorausveröffentlichungen nur unwesentlich ab. Weisstein dagegen, der schon 1962 die Vorabdrucke »Die Neuteutonen«, »Die Macht« und »Der Krawall« mit der endgültigen Fassung verglich und eine Reihe stilistischer Änderungen, aber auch inhaltlicher Nichtübereinstimmungen feststellte (S. 134, Anm. 13), kommt 1973 zu dem Schluß, daß alle Vorabdrucke »in vielen Einzelheiten« von der endgültigen Fassung abweichen (S. 129). Emmerichs Feststellung sollte daher sorgfältig überprüft werden.

bis 133; s. auch im vorliegenden Band die Anmerkungen zu S. 133 und 134). Der Vorabdruck begann erst am 1. Januar 1914, nachdem die Zeitschrift den Roman in ihrer Ausgabe vom 25. Dezember 1913 folgendermaßen angekündigt hatte:

»Dieser Roman wird in weitesten Kreisen Aufsehen erregen. Der Autor der ›Göttinnen‹ [1903] und des ›Professor Unrath‹ [1905] betritt damit ein in Deutschland bisher wenig gepflegtes Gebiet, das des satyrischen Zeitromans. Scharfe Kritik und beißende Satyre schrecken darin vor nichts zurück. Die Veröffentlichung dieses neuesten Werkes von Heinrich Mann wird eine der bedeutendsten Publikationen des neuen Jahres sein.«

Zit. nach: GW VII. S. 439.

Am Tag der deutschen Mobilmachung für den Ersten Weltkrieg, am 1. August 1914, schrieb ein Dr. Kühn im Namen der Redaktion an Heinrich Mann:

»Im gegenwärtigen Augenblick kann ein großes öffentliches Organ nicht in satirischer Form an deutschen Verhältnissen Kritik üben. Die durch die künstlerische Behandlungsweise des Stoffes geschaffene Distanz vom Leben dürfte in so erregten Zeiten wohl nur von den Allerwenigsten beachtet und anerkannt werden. Man würde sich an das Inhaltliche des Romans ›Der Untertan‹ als reale Tatsache halten. So betrachtet würden einzelne Stellen des Untertans bei der jetzigen kritischen Situation leicht im breiteren Publikum Anstoß erregen. Ganz abgesehen davon dürften wir bei der geringsten direkten Anspielung politischer Natur, etwa auf die Person des Kaisers, die ärgsten Zensurschwierigkeiten bekommen.«

Zit. nach: Heinrich Mann 1871–1950. Werk und Leben in Dokumenten und Bildern. Mit unveröffentlichten Manuskripten und Briefen aus dem Nachlaß. Hrsg. von Sigrid Anger. Berlin: Aufbau-Verlag, 1971. [Zit. als: Heinrich Mann 1871–1950.] S. 134.

Heinrich Mann schrieb sofort an die Redaktion zurück:

»Ich muß nach Sachlage mit der Unterbrechung des Roman-
abdruckes vorerst einverstanden sein. Die Lage kann sich
ändern. Ich behalte mir alle Rechte vor und mache zur besonderen Bedingung, daß beim Abbruch des Romans jede
redaktionelle Notiz unterbleibt.«

> Zit. nach: Viktor Mann: Wir waren fünf. Bildnis
> der Familie Mann. Konstanz: Südverlag, 1949.
> S. 364 f.

Auf seinen Vorschlag eingehend brachte *Zeit im Bild* am
13. August 1914 die 32. und letzte Fortsetzung des Romans
als »Schluß« (vgl. Zenker, S. 46) ohne weitere Erklärung, so
daß der Eindruck entstehen mußte, der Roman sei mit der
Schilderung des vom alten Buck gegen den Herausgeber der
Volksstimme angestrengten Prozesses wirklich abgeschlos-
sen.[14] Zum Abdruck kamen also etwa neun Zehntel des
Manuskripts; die letzten fünfzig Seiten des Romans in der
Erstausgabe von 1918 (S. 463–512; in der dtv-Ausgabe
S. 409–452) blieben dem deutschen Leser für die Dauer des
Krieges unbekannt. Gleichzeitig mit der Veröffentlichung
des *Untertan* in *Zeit im Bild* erschien eine russische Überset-
zung des Romans unter dem Titel *Wernopoddannyj* in der in
St. Petersburg herausgegebenen russischen Monatsschrift
Sowremennyj Mir (»Die zeitgenössische Welt«) vom Januar
bis Oktober 1914 (wobei die Nummern 7 und 8 vom Juli und
August ausfielen). Die Übersetzerin, Adele Polotsky-Wolin,
hatte für ihre von Heinrich Mann autorisierte Übersetzung
ein maschinenschriftliches Manuskript (eine im Heinrich-
Mann-Archiv nicht erhaltene Abschrift von der Handschrift)
benutzt.[15] Daraus ergab sich die textgeschichtlich merkwür-
dige Situation, daß die russische Übersetzung (bis in die

14 Der *Untertan* ist also nicht, wie oft behauptet wird, von der staatlichen
   Zensur kurzerhand verboten worden (vgl. Weisstein, 1973, S. 130).
15 Vgl. Polotsky-Wolins Brief an Mann aus dem Jahr 1911 (abgedruckt in:
   Heinrich Mann 1871–1950, S. 135 f.); vgl. hierzu auch Oleg V. Jegorov,

fünfziger Jahre) einen Romantext repräsentierte, von dem
der in Deutschland veröffentlichte verschiedentlich abwich –
durch die Abschwächungen politischer Stellen (besonders in
bezug auf den »Fall Lück«) für *Zeit im Bild* wie auch aufgrund späterer Korrekturen Manns für die deutsche Erstausgabe von 1918.[16]

Im folgenden Jahr (1915) erschien eine zweibändige Buchausgabe der russischen Übersetzung von A. Polotsky-Wolin
im Verlag Zuckermann (St. Petersburg). Der erste Band
(245 S.) erhielt die Überschrift, die das Romanmanuskript
für den ersten Teil vorsah, »Macht« (vgl. Anm. 10), der
zweite (238 S.) die Überschrift »Karriere« (vgl. Kirsch/
Schmidt, S. 126).[17]

Im Jahre 1916 übernahm der Kurt Wolff Verlag (München,
später auch Leipzig und Wien) Heinrich Manns Werke und
brachte die bisherigen Romane und Novellen des Autors in
hoher Auflage heraus. Im Frühjahr hatte KURT WOLFF
(1889–1963) den *Untertan* gelesen, und am 8. April 1916
schrieb er begeistert an seinen Verlagsdirektor Georg Heinrich Meyer:

»[. . .] ich habe die Lektüre des Buches eben beendet und bin
hingerissen. Hier ist der Anfang dessen, was ich immer
suchte: der deutsche Roman der Nach-Gründer-Zeit. (Ist
›Schlaraffenland‹ [1900] dazu ein kleiner, ist dies ein ganz

> »Heinrich Manns Rezeption im zaristischen Rußland und in der
> UdSSR«, in: *Heinrich Mann. Sein Werk in der Weimarer Repu-
> blik*, S. 300. Mann schrieb am 19. 6. 1948 an Karl Lemke: »Ich be-
> kam kein russisches Buch zu sehen, alles geschah ohne Vertrag und
> Honorar.«

16 Vgl. *Heinrich Mann 1871–1950*, S. 135; Jegorov (s. Anm. 15) S. 300.
»Die russische Zensur duldete es in der Meinung, nur die feindliche
Macht Deutschland werde darin getroffen« (Ebersbach, S. 155).

17 Ein Desideratum der Forschung bleibt die genaue vergleichende Textanalyse der russischen Übersetzung und des Romanmanuskripts
(sowie des Vorabdrucks in *Zeit im Bild*), zumal in der Forschung nicht
einmal Einigkeit darüber herrscht, ob die russische Übersetzung tatsächlich vollständig ist. Vgl. Emmerich, S. 35; dagegen Kirsch/Schmidt,
S. 126; Haupt (1980) S. 66: »in St. Petersburg 1914 und 1915 zwei voll-
ständige (?) Ausgaben«.

großer Beitrag). Hier ist der Anfang einer Fixierung deutscher Zustände, die uns – zumindest seit Fontane – völlig fehlt. Hier ist plötzlich ein Werk, groß und einzig, das, ausgebaut, für die deutsche Geschichte und Literatur sein könnte, was Balzac's Werk für das erste, Zola's für das zweite Kaiserreich waren. Und für unsere Gegenwart ist es viel mehr: dies zwei Jahre vor dem Krieg geschriebene Buch ist – in anderem Sinne – für uns a priori was den Franzosen a posteriori ›Débâcle‹ wurde.[18] Das Deutschland der ersten Regierungsjahre Wilhelms II., gesehen als ein Zustand, der den Krieg von 1914 heraufbeschwören mußte«

Zit. nach: Kurt Wolff: Briefwechsel eines Verlegers. 1911–1963. Hrsg. von Bernhard Zeller und Ellen Otten. Frankfurt a. M.: Scheffler, 1966. S. 224. © 1966 Societäts-Verlag, Frankfurt a. M.

Daß der *Untertan* während des Krieges nicht in Deutschland erscheinen konnte, darüber waren sich Verlag und Autor einig. Der Vorschlag aber, den Roman im Ausland, z. B. in der Schweiz, herausbringen zu lassen, fand Wolffs Beifall nicht: »Dafür ist mir das Buch und bin ich mir zu gut. Es würde eingereiht werden im Ausland unter die Reihe der jetzt so zahllos erscheinenden Anti-Kaiser-Bücher« (Wolff in demselben Brief an G. H. Meyer). Geplant wurde eine Veröffentlichung unmittelbar nach dem Krieg; Wolff druckte aber schon im Mai 1916 eine Privatausgabe mit der folgenden Vorbemerkung:

»Von diesem Buch, dessen Herausgabe während des Krieges nicht beabsichtigt ist, wurden auf Veranlassung von Kurt Wolff im Mai 1916 zehn Exemplare hergestellt und – nur zur persönlichen Kenntnisnahme – übersandt an: Ernst Ludwig, Großherzog von Hessen und bei Rhein / Karl Kraus / Fürstin Mechthild Lichnowsky / Oberstleutnant im General-

---

18 Gemeint sind die zeitkritischen Romane Honoré de Balzacs (1799 bis 1850) und Emile Zolas (1840–1902); Zolas Roman *Débâcle* erschien 1892.

Heinrich Mann

Der Untertan

Privatdruck

1   9   1   6

Titelblatt zum Privatdruck des »Untertan« von 1916

stab Madlung / Helene von Nostiz-Wallwitz / Jesko von
Puttkamer / Peter Reinhold / Fürst Günther zu Schönburg-
Waldenburg / Joachim von Winterfeldt, M.d.R. / Elisabeth
Wolff-Merck.«[19]

Zit. nach: Heinrich Mann 1871–1950. S. 138 f.

Es handelt sich hier um »prominente Kriegs-Kritiker«
(Haupt, 1980, S. 66) oder um »Intellektuelle, bei denen min-
destens die Abneigung gegen das Regime Wilhelms II. fest-
stand« (Kirsch/Schmidt, S. 128). Unmittelbare Äußerungen
dieser Empfänger sind bisher nicht bekannt geworden. Da
Heinrich Mann selbst nicht unter den Empfängern aufgeführt ist, er aber ein Exemplar erhielt (das sich heute im
Heinrich-Mann-Archiv befindet), kann die hier angegebene
Zahl der Drucke nicht stimmen. Harro Kieser (1977; 1980)
macht zwei weitere Exemplare namhaft und vermutet, die

19 Der *Großherzog Ernst Ludwig* (1868–1937) hatte es Wolff erspart, den
ganzen Krieg an der Front und in militärischen Diensten verbringen zu
müssen, indem er ihn zur Fortsetzung seiner verlegerischen Tätigkeit
anfordern ließ und es durchsetzte, daß er im September 1916 mit
Urlaub von unbestimmter Dauer entlassen wurde. – *Karl Kraus* (1874
bis 1936), österreichischer Schriftsteller, Publizist und Kulturkritiker,
übte besonders in seinem im Weltkrieg entstandenen Drama *Die letzten Tage der Menschheit* scharfe Kritik am inneren Zustand der Gesellschaft. – Zur *Fürstin Lichnowsky* (1879–1958) vgl. Manns Brief vom
28. 4. 1917 an seine Frau: »Abendessen mit dem Fürsten Lichnowsky,
früherem Botschafter in London, und seiner Frau, die dichtet [Werke
im Wolff-Verlag, 1913–18]. L. war seit 1914 der Meinung, daß wir
besiegt werden. Seine Frau wünscht es sogar« (zit. nach Schröter, 1967,
S. 91 f.). – *Helene von Nostiz-Wallwitz* (1878–1944), Schriftstellerin
und Freundin Rodins, Rilkes und Hofmannsthals. – *Jesko von Puttkamer* gehörte zum Freundes- und Mitarbeiterkreis des Wolff-Verlags. –
Peter Reinhold (1887–1955), Schwager von Kurt Wolff und Mitarbeiter
des Verlags, 1913–21 Verleger und Leiter des *Leipziger Tageblatts*,
1926/27 Reichsfinanzminister. – *Joachim von Winterfeldt* (geb. 1865)
1909–18 deutsch-konservativer Reichstagsabgeordneter, 1921 Präsident des Deutschen Roten Kreuzes; veröffentlichte sein *Kriegstagebuch*
(1916) und eine Studie *Kriegsbeschädigtenfürsorge* (1917). – Mit *Elisabeth Wolff-Merck* (1890 – nach 1966) war Kurt Wolff von 1907 bis 1930
in erster Ehe verheiratet.

Anzahl der 1916 abgedruckten Exemplare sei wahrscheinlich
noch wesentlich höher gewesen (1977, S. 56).[20]
Der Text des Privatdrucks weicht von dem in *Zeit im Bild*
durch zahlreiche Änderungen und Streichungen ab
(GW VII, S. 440). Manns Exemplar enthält eine große
Anzahl handschriftlicher Korrekturen, die der Autor offenbar zur Vorbereitung der Buchausgabe von 1918 benutzte
(vgl. hierzu, sowie zu Textabweichungen, Kirsch/Schmidt,
S. 129 f.; GW VII, S. 441 f.). Dieses korrigierte Handexem-
plar des Privatdrucks, das nachweislich der letzte von Heinrich Mann bearbeitete Text ist, diente als Textgrundlage für
die in Bd. 7 der *Gesammelten Werke* veröffentlichte, maß-
gebliche, erste textkritisch durchgesehene Ausgabe des
Untertan. Im Dezember 1918, kurz nach Waffenstillstand
und Aufhebung der Zensur, erschien dann mit der Buchausgabe im Kurt Wolff Verlag die eigentliche Erstausgabe des
Untertan.[21]

20 Merkwürdig sind übrigens die abweichenden Seitenzahlen der beiden
   bis 1977 bekanntgewordenen Exemplare des Privatdrucks. Zenker
   (S. 11) gibt für Manns Exemplar 453 Seiten an, während der Katalog
   der Stuttgarter Antiquariatsmesse vom Januar 1978 »2 Bl., 414 S.«
   nennt (Kieser, 1977, S. 56).
21 Zur Bestätigung der Verlagsabmachungen über den Roman vgl. den
   Brief von G. H. Meyer an Rechtsanwalt Siegfried Adler (München)
   vom 14. 1. 1919 (Wolff, *Briefwechsel*, S. 231 f.). Zu der ersten Auflage
   von 100 000 Exemplaren vgl. Zenker (S. 11): 1.–7. Tsd. sowie 8.–12.
   Tsd. erschienen in Leipzig/München (529 S.); 53. und 100. Tsd. erschienen in Leipzig/Wien (511 S.). Laut Zenker sind 13.–52. Tsd. und
   54.–99. Tsd. des Romans nicht nachweisbar. Das Exemplar, das der
   Autor des vorliegenden Bandes benutzt hat, enthält aber folgende
   Angaben: 8.–53. Tsd. (Leipzig/Wien), 512 S. Siehe auch Kap. IV,4.

III. Heinrich Mann über den *Untertan*

In einem »Entwurf aus einem Notizbuch« vom 15. August 1915 (Heinrich-Mann-Archiv Nr. 472) gesteht Heinrich Mann voller Bitterkeit ein, daß er den furchtbaren Ernst seines Helden unterschätzt habe, und bittet ihn deshalb »demüthig um Entschuldigung«:

»Sein Held ist es, den der Autor um Entschuldigung bittet. Er hat mehr über ihn gewußt als irgendwer, aber doch nicht, daß er es so weit bringen würde. Er hat ihn ungemein ernst genommen, aber so furchtbar ernst nicht. Der Autor hat nicht geglaubt, sein Held werde die letzte Folge seines Daseins erleben, den Krieg gegen Europa. [...] Jeden Satz des Heßling'schen Werdeganges hatte der Autor vor jenem 2. August [1914] zu Ende geschrieben, u. nur der Autor, nicht sein Held, war in dem Irrthum befangen, dieser 2. August werde nicht kommen. Der Autor bittet seinen Helden demüthig um Entschuldigung, der Held war der Stärkere. Sein Verhältnis zur Macht war mehr als Schauspielerei. Zum Wenigsten war es eine Schauspielerei, die dem Ernstfall Gelegenheit gab. Was an ihm lag, hat der Held wirklich unternommen [...].«

Zit. nach: Heinrich Mann 1871–1950. S. 467 f. –
Mit Genehmigung des Aufbau-Verlags, Berlin.

In seinem Vorwort zu einer neuen Ausgabe seines Romans (1929) wendet sich Heinrich Mann an eine neue Generation von Lesern:

»Die neue Ausgabe des Romans wird von anderen Menschen gelesen werden, diese aber sind meistens unhistorisch. Ihr Gedächtnis reicht gewöhnlich nicht weiter als sechs Monate rückwärts, – sehr erklärlich, denn sie haben gegenwärtige Sorgen von ungeheurem Ausmaß. Sie können daher auch nicht wissen, welche warnenden Beispiele die Vergangenheit bietet. Sie erkennen nicht, was vom Erbe des einstigen Untertans in ihnen selbst noch fortlebt. Sie sind ununterrichtet über weitwirkende Gefahren. Ich wünschte, dieses Buch vermöchte ein neues Geschlecht aufzuklären, wenn es das alte nicht mehr ändern konnte.

Man kann auch in der [Weimarer] Republik ein rechter Untertan sein. Dafür ist nicht nötig, daß man Herrscher verehrt und nachäfft. Dafür genügt, daß man irgendeine andere Macht gewähren läßt, vielleicht die Geldmacht. Man beugt sich unter ihren Willen wie unter das Schicksal selbst und tut nichts Ernstes, um auch nur das Ärgste, den nächsten Krieg, zu verhindern. Viel weniger besteht man auf besseren Gesetzen, auf sozialer Gerechtigkeit und auf Gerechtigkeit schlechthin. Das Zeichen des Untertans bleibt der Verzicht auf eigene Verantwortung. Sein Gewissen sollte mitentscheiden über die Ereignisse. Statt dessen läßt er sie kommen – mit Jubelgeschrei wie der frühere Untertan oder gleichgültig und ergeben wie heute die meisten. Das ist schlimm, wir haben immer noch zu lernen.

Wir haben schon viel gelernt in den vergangenen zehn Jahren: das Nichtstrammstehen, den Zweifel und manches eigene Urteil. Wenn wir uns noch nicht richtig wehren, merken wir doch halbwegs, wer uns mißbraucht. Jubeln werden wir nicht so bald, wenn Katastrophen herbeigeführt werden. Wir haben auch keine Neigung, unter die unverhohlene Gewalt, die Uniform trug, zurückzukehren. Die nicht uniformierten Gewalten sind aber tückischer und ebenso grausam. Sie sind sogar zielbewußter. Man hält auch sie, infolge der wirtschaftlichen Abhängigkeiten, die alle zu ertragen haben, leicht für schicksalhaft und gleitet den Schreckensweg entlang, den sie vorschreiben. Wir werden noch viel Verantwortung lernen müssen. Wir werden ungleich sorgsamer achten müssen auf unsere Sicherheit und unsere Würde, auf unseren männlichen Stolz.«

Heinrich Mann: Der Untertan. Roman. Berlin: Sieben-Stäbe-Verlag, 1929. S. 10 f. – Mit Genehmigung des Aufbau-Verlags, Berlin.

In seinen Erinnerungen *Ein Zeitalter wird besichtigt* (1946)
stellt Heinrich Mann nachträglich fest, daß er mit der Konzi-
pierung seiner »Untertan«-Gestalt den Faschismus vorweg-
genommen habe, fügt aber differenzierend hinzu: »Als ich
sie aufstellte, fehlte mir von dem ungeborenen Faschismus
der Begriff, und nur die Anschauung nicht.«[1] Über die Wirkung seines Romans fährt der Autor dann fort:

»Mit dem Roman ›Der Untertan‹ kam ich früher, als erlaubt.
Er mußte vier Kriegsjahre abwarten. Erst 1918 konnte er
gelesen werden, und wurde es wirklich: mit großem äußerem
Erfolg bei allen Deutschen, denen der verlorene Krieg zuerst
Bedenken über ihren Zustand aufdrängte. Sie sind bald mit
ihnen fertig geworden und haben fortgefahren, wie wenn
nichts wäre. Wahrhaftig gäbe ich die Schuld lieber den Feh-
lern des ›Untertan‹ als ihren.«

Zeitalter. S. 187 f.

In einer kommentierenden Fortsetzung der ersten Vorstufen
seiner genannten Erinnerungen (vgl. Haupt, 1980, S. 179),
»Zur Zeit von Winston Churchill« (März bis Mai 1941),
schreibt Heinrich Mann im ähnlichen Sinne über seinen
Roman:

»Mein Roman vom ›Untertan‹, 1914 beendet, übertreibt nur
scheinbar den Deutschen von damals; wirklich bereitete eine
komische Figur sich vor, der Tragöde dieser Gegenwart zu
sein. Seine Revolution, die einzig und allein Krieg, sonst gar
nichts heißt, beginnt nicht mit Hitler, sondern neunzehn
Jahre vor dieser Person – auch sie von bedeutender Lächerlichkeit, nur die Greuel, die sie verantwortet, fordern Ernst.«

Zit. nach: Heinrich Mann 1871–1950. S. 143. –
Mit Genehmigung des Aufbau-Verlags, Berlin.

---

1 Mann schrieb am 3. 3. 1943 an Alfred Kantorowicz, der *Untertan* ent-
   halte »die Vorgestalt des Nazis« (zit. nach: Roberts, S. 132), und am
   27. 5. 1943 an Karl Lemke: »Ich schrieb im voraus, was aus Deutschland
   dann wirklich wurde«.

In einem Brief an Karl Lemke vom 10. Dezember 1948 nimmt Mann zu einem Leserbrief an die Redaktion der Zeitschrift *Aufbau* (Berlin) Stellung:

»Ein Leser des ›Untertan‹ schrieb dem Aufbau-Verlag, das sei kein Roman, sondern ein Leitartikel.[2] Dieser nannte sich jung, mußte es auch sein, als Produkt der Nazi-Erziehung. Eigentlich aber haben sie mich nie gemocht, andere Generationen so wenig wie die vorläufig junge. Meine Erfolge haben sie so lange möglich verschleppt, um sie schließlich nicht zu gewähren, sondern hinzunehmen. [. . .] Was ich büße, ist mein Sinn für das öffentliche Leben, die Voraussetzung jedes einzelnen. Damit befremdete man, als ich anfing, in Deutschland; trotz Fontane, der da war. Ihn kannte ich, zugleich mit den Franzosen, seinen Zeitgenossen. Die sozialen Romane der Russen sind das andere Beispiel des gleichen Glücksfalles. Eine ganze Epoche muß auf den Roman hinweisen, muß selbst für ihn gebaut sein. Die äußeren Bedingungen der Welt, die ein Autor erfährt, sind unerläßlich wie seine eigenen Qualitäten: ein halbes Wunder, wenn alles zusammentrifft und arbeitet, bis große Romane wirklich geboren sind. [. . .] Indessen, einmal von einem Publikum festgelegt als ›politischer‹ Romancier, blieben Schönheiten meist unbeachtet; werden es bleiben, wenn Sie nicht sehr mächtig einschreiten. Stendhal[3] sah richtig voraus, daß er dreißig Jahre später entdeckt werden sollte. Er hatte die Chance, bis zum Tode unentdeckt zu sein. Die fehlt mir, ich bin nur falsch entdeckt. Als Verfasser eines romanhaften Leitartikels möchte ich nicht fortleben.«

Heinrich Mann: Briefe an Karl Lemke und Klaus Pinkus. Hamburg: Claassen. 1963. S. 90 f. – Mit Genehmigung des Aufbau-Verlags, Berlin.

2 Vgl. Brief von Hans Kretschmer aus Göttingen in *Aufbau* 4 (1948) S. 456 f. In ihrer Antwort auf diesen Brief geht die Redaktion auf die politische Bedeutung, die satirische Kunst und den moralischen Wert des Romans ein (S. 457).
3 Stendhal (d. i. Henri Beyle), französischer Romancier (1783–1842).

Der Untertan erschien 1949 mit Zeichnungen von Martin Hänisch im Aufbau-Verlag (Berlin). Am 8. Januar 1950 schrieb Heinrich Mann an den Verlag:

»Meinen Dank für ›Untertan‹ mit Bildern. Nun sie da sind, ist zu sehen, wie erwünscht sie waren. Besonders die Zeit mußte verbildlicht werden, noch ganz in ihrem Geist, was später niemand mehr kann. Martin Hänisch hat es gekonnt, und wie bewundernswert![4] Die Charaktere sind einfach und stark, wie sie im Buch sein sollten. Die Frauen alle vom Typ Guste-Kätchen, mit nichts als ihrer verschlagenen Sinnlichkeit bei zunehmender Korpulenz. Die Männer rastlos bestrebt, furchtbar zu sein, ohne eine Ahnung, wohin sie damit kommen werden. – Als ich es schrieb, konnte ich über diese Welt noch lachen. Das erklärt den anhaltenden Erfolg. Ein bitterer Roman wäre jetzt vergessen.«

Zit. nach: Ebd. S. 183 f.

In seinen Erinnerungen berichtet der Kulturkritiker und Essayist LUDWIG MARCUSE über ein Gespräch mit Heinrich Mann nach 1945:

»Heinrich Mann sagte: ›Immer wenn sie [die Deutschen] einen Krieg verlieren, drucken sie meinen ‚Untertan‘. Er war der Ansicht, das ist zu billig. Er wußte zuviel. Er zog sich [...] in einen gläsernen Turm zurück.«

> Ludwig Marcuse: Mein zwanzigstes Jahrhundert. Auf dem Weg zu einer Autobiographie. München: List, 1960. S. 276.

---

4 Der Artikel von Alexander Abusch, »Der Dichter des ›Untertan‹«, in: *Aufbau* 6 (1950) S. 309–312, enthält drei Illustrationen von Martin Hänisch. – Zur »Verbildlichung der Zeit in ihrem Geist« vgl. S. 82, 100 und 125 des vorliegenden Bandes. Zum Vergleich mit der satirischen Graphik von George Grosz (1893–1950) s. z. B. Henry C. Hatfield, »Satire of Empire«, in: *Kenyon Review* 8 (1946) S. 147 f.; Rolf N. Linn, »Heinrich Mann and the German Inflation«, in: *Modern Language Quarterly* 23 (1962) S. 83; Motyljowa, S. 27; Rumold, S. 175.

IV. Dokumente zur Wirkungsgeschichte

1. Der Vorabdruck (1914)

Bereits die Äußerungen von angesehenen Kritikern und Schriftstellern – z. B. Friedrich Markus Huebner (1913, 1914) und Ludwig Rubiner (1914) zur Linken, Otto Flake (1915) und Thomas Mann (1918) zur Rechten – »zeichneten«, wie Emmerich bemerkt (S. 122), »die Grundlinien der Rezeption vor, noch ehe es eine Buchausgabe gab«. Während etwa Huebner schon in einer Ankündigung des Vorabdrucks den sozialkritischen Untertanenroman als »ein Aufruhrsignal, eine Kulturwende, einen prüfenden und beißenden Giftstachel gegen den Leib der normal-bürgerlichen Heutigkeit« bezeichnet (»Das Werk Heinrich Manns«, in: *Zeit im Bild*, 11. Jg., 25. 11. 1913)[1] und Rubiner dem Autor dafür dankt, »daß er sich nicht mehr um Kunst kümmert, sondern um Großes, Übergeordnetes: Geistiges. Um Politisches. Um den Willen« (s. S. 98 des vorliegenden Bandes), spricht Flake von »politischen Tendenzen«, von »Haß« und »Satire« eines »Literaten« (s. S. 100); »fast wörtlich taucht die gleiche Argumentation etwas später bei Thomas Mann in den ›Betrachtungen eines Unpolitischen‹ von 1918 auf« (Haupt, 1977, S. 676). Die *Betrachtungen eines Unpolitischen*, die eine versteckte, aber für literarisch versierte Zeitgenossen sofort erkennbare Auseinandersetzung mit dem Roman des Bruders enthält, wurden später häufig als Gegenstück zum *Untertan* gelesen, so z. B. von Karl Strecker und Theodor Heuss (Emmerich, S. 122).

Ludwig Rubiners »Glosse« erschien im Anschluß an die »Glosse« von Huebner in der *Aktion* vom 18. April 1914

---

1 Vgl. auch Huebners »Glossen« in der von Franz Pfemfert herausgegebenen »Wochenschrift für Politik, Literatur, Kunst« *Die Aktion* (1911 ff.): »Kleine Heinrich Mann-Prognose« (3. Jg., 30. 8. 1913); »Untertan I« (4. Jg., 18. 4. 1914). Vgl. den Nachdruck der Zeitschrift, mit Einführung und Kommentar von Paul Raabe (Stuttgart 1961), Bd. 1, S. 64 (zu Huebner), S. 93 f. (zu Rubiner).

(s. Anm. 1), also noch vor Abschluß des Vorabdrucks in *Zeit im Bild*:

»[. . .] dieser ›Untertan‹ ist nicht mehr für sich selbst da. Er ist eine Stimme. Stimme der Empörung. Daß er nicht die des Aufstandes ist, ist unsere Schuld. Warum halten wir nicht Deutschlands Wut auf solcher Hitze, daß Gemäßigtes gar nicht möglich wäre!

Wir müssen Heinrich Mann danken. Dafür, daß er sich nicht mehr um Kunst kümmert, sondern um Großes, Übergeordnetes: Geistiges. Um Politisches. Um den Willen. Hinter ihm steht heute unser aller Drang nach Änderung. Umsturz. (Oh, wär' er nur noch utopischer; noch verlachbarer; noch verzweifelter!) Hat denn ein Mensch, der in Deutschland die Feder eintunkt, Einer, den alle sehen, diesen Mut? Schmutzige Partikularisten!

Umsturz! Absicht in diesem Buch. Ziel! Wer wagt das sonst bei uns!

[. . .] Wie herrlich, wie ruhmvoll, nein, wie anständig ist dieser Deutsche Heinrich Mann: ein öffentliches Leben dazu da, um Aufreizendes zu verbreiten. Eine Schrift, nicht der Unzufriedenheit, sondern der Deutlichkeit. Ein Buch, wirkend, daß die Bourgeoisie, die es lesen muß, sich selbst ins Gesicht kotzt.

In dem Lande Rußland ist ein Dichter ein Prophet. In Italien ein Führer, in England ein Aufrüttler, in Frankreich ein Parteimann. In Deutschland ein Dreck. [. . .]

In Deutschland weiß man alles mögliche vom Dichter. Am ehesten, mit wem er in Krach liegt und wieviel er verdient. Eins weiß man bei uns nicht: daß er eine aktive Wirkung ausüben kann. (Wenn sich nach dem Werther die Leute totschießen, so ist das Buch gut; wenn sie auf andere schießen, besser.) Heinrich Mann, zufällig, kann das. Früher gingen Nebenwirkungen von ihm aus, zur Radikalisierung [. . .]. Jetzt, unter dem unverpackten, von draußen drängenden, politischen Willen des ›Untertans‹ werden in Deutschland viele tausend ahnungslose Frauen und Männer politisches Blut eingespritzt bekommen. Ach, zunächst wird die Wirkung noch sehr zweideutig sein; Organisation, Partei, Parlament. (Jüdisch-sozialdemokratische Reserveoffiziere.) Man wählt. Statt 111 Stimmen im Reichstag hundertundfünfzehn. [...]

Besser Bücher, die stolz darauf sind, Aufrührer zu sein. Wir müssen Heinrich Mann für den ›Untertan‹ danken. Solange bis er einen ›Roman‹ schreibt, der selbst Aufrührer ist. Wonach, als Wirkung des Buches, nicht mehr gewählt, sondern getan wird. ›Kunst‹ kann nie diese Wirkung haben, nur der Geist. Dann wird auch unser Dank für den (vorhergehenden) ›Untertan‹ ganz überflüssig sein. Dann wird nämlich Heinrich Mann im Gefängnis sitzen, und seine Leser wissen, daß sie vorstoßen müssen.«

Ludwig Rubiner: Glosse. In: Die Aktion. 4. Jg.
Nr. 16. 18. April 1914. Sp. 335–337.

In einem umfangreichen Essay »Von der jüngsten Literatur« (September 1915) bezeichnet der einflußreiche Autor des Fischer-Verlags und der *Neuen Rundschau* OTTO FLAKE Heinrich Mann als den »Vater der deutschen intellektuellen Literatur« und führt dann weiter aus:

»Kurz vor dem Kriege begann eine Zeitschrift Manns neuesten Roman ›Der Untertan‹ abzudrucken; obwohl er noch nicht als Buch erschienen ist, kann man also darüber sprechen. Dieser Roman ist eine Darstellung des liberalen deutschen Bürgertums vom Abgang Bismarcks bis zum Abgang Bülows. Daß nicht die expansiven Kräfte dieser Epoche geschildert werden, sondern ihr Supplement, die knechtischen, deutet der Titel an. Der Untertan ist der Mann der gottgewollten Abhängigkeit, der sie durch inbrünstige Dienstbereitschaft für sich aufhebt [...]; er ist der Streber, der Staatsdiener, der Fanatiker der Kasernierung, der Neudeutsche, das, was heute weiter zu betonen nicht der Augenblick ist und doch nie übersehen werden darf [...].

Wer würde nicht daran erinnert, daß während des Krieges unsere Gegner Züge an uns aufdecken, die wir verleugnen

möchten, und einen riesenhaften Zwiespalt, den wir mit allen
Konstruktionen nicht überbrücken können. Haß sieht
scharf. Seien wir mutig: die niedrigen, subalternen, hochfah-
renden Züge bestehen und, was wichtiger ist, die Notwendigkeit, prinzipiell politische Unerbittlichkeit zu treiben,
besteht, selbst der Haß ist berechtigt; nur – ein Mitglied des
deutschen Volkes muß ihm eine Modifikation geben. Keine
Beschönigung, aber eine Modifikation ethischer Natur. Für
einen Schaffenden, dem an der Kultur seines Volkes gelegen
ist, darf Haß nur Mittel sein. Je grausamer die Satire, um so
besser, aber wenn er nicht zur Menschlichkeit und Gerechtigkeit führt, ist er ohnmächtig. Und hier muß man sagen,
Manns Haß hat nicht die langen Wellenschwingungen, die
sich weiter und weiter fortpflanzen, bis sie kosmisch über-
greifen zu denen der Liebe, er ist hämisch. Er greift nicht an,
er stellt nur fest, und Feststellungen langweilen, wenn sie nur
Wiederholungen werden. Es ist ein Haß des Verstandes,
nicht des Blutes, er bleibt klein und kommt nicht über die
Tagesgereiztheit des Simplizissimus hinaus.[2] Und hier ist das
Wort unvermeidlich, dem ich bis jetzt aus dem Weg gegangen
bin: es ist ein literarischer Haß, sein Autor ist ein Literat. Der
Literat macht den ersten Schritt, vom Leben, das das Banale
ist, zur Literatur, die das Geistige ist, und darin vorbildlich
und unentbehrlich. Aber er müßte auch den zweiten Schritt
machen können, zum *Elementaren*, dieser freigewordenen
Geistigkeit, zurück.«

Otto Flake: Von der jüngsten Literatur. In: Die
Neue Rundschau 26 (1915). 2. Halbbd. S. 1280
bis 1282.

2 Vgl. S. 11 f., 82 und 119 des vorliegenden Bandes; ferner Golo Manns
Einleitung zu *Facsimile. Querschnitt durch den Simplicissimus*, hrsg.
von Christian Schütze, Bern [u. a.] 1963: »So könnten die Gestalten
von Heinrich Manns *Untertan* nahezu alle aus dem *Simplicissimus*
sein [. . .].«

THOMAS MANN schreibt in seinen *Betrachtungen eines Unpolitischen* (1918) über den »politischen Moralisten« als »Satiriker«, sowie über »die Gefahren der Satire«:

»Wir kennen den politischen Moralisten, den Mann der inneren Politik und der nationalen Selbstkritik als Satiriker. Satire, »geißelnde« Satire ist selbstverständlich das wichtigste Wirkungsmittel seiner politisch-sozialkritischen Pädagogik. [. . .]
[. . .] Der innere Konflikt der Satire, so scheint mir, ist der, daß sie notwendig Groteskkunst, das heißt: Expressionismus ist, und daß also das liebend und leidend empfangende Element in ihr schwächer ausgebildet, ihre Naturverbundenheit der Lockerung ausgesetzt ist, – während doch gleichzeitig keine Kunstart dem Leben und der Wirklichkeit verantwortlicher und inniger verbunden bleiben muß als die Satire, da sie Leben und Wirklichkeit ja anklagen, richten und züchtigen will. Dieser Konflikt und diese Gefahr – die Gefahr nämlich der Entartung zum *Unfug* (denn ein Zerrbild ohne Wirklichkeitsgrund, das nichts ist als eine ›Emanation‹, ist weder Verzerrung noch Bild, sondern ein Unfug) – diese Gefahr also tritt merkwürdigerweise weniger hervor und ist auch wohl in geringerem Grade vorhanden, solange es sich um Satire größten Stils, um Welt- und Menschheitssatire handelt. Sie wird aber brennend, wenn die Satire zum Politischen, zur Sozialkritik hinabsteigt, kurz, wenn der expressionistisch-satirische Gesellschaftsroman auf den Plan tritt. Sie wird auf diesem Punkt zu einer politischen, einer internationalen Gefahr. Denn ein sozialkritischer Expressionismus ohne Impression, Verantwortlichkeit und Gewissen, der Unternehmer schilderte, die es nicht gibt, Arbeiter, die es nicht gibt, soziale ›Zustände‹, die es allenfalls ums Jahr 1850 in England gegeben haben mag, und der aus solchen Ingredienzien seine hetzerisch-liebenden Mordgeschichten zusammenbraute, – eine solche Sozialsatire wäre ein Unfug, und wenn sie einen vornehmeren Namen verdiente, einen vornehmeren als den der internationalen Verleumdung und

der nationalen Ehrabschneiderei, so lautete er: Ruchloser
Ästhetizismus.«[3]

Thomas Mann: Gesammelte Werke in dreizehn
Bänden. Bd. 12: Reden und Aufsätze 4. Frankfurt a. M.: S. Fischer, 1974. S. 563, 565 f. © 1960,
1974 S. Fischer Verlag GmbH, Frankfurt a. M.

2. Die russische Ausgabe (1915)

In der Monatsschrift für Literatur, Wissenschaft und Politik
Russkija Sapiski (»Russische Hefte«) Nr. 2 vom Februar
1915 erschien eine anonyme Rezension über den ersten Band
der russischen Übersetzung (s. S. 87 des vorliegenden Bandes):

»Den derben und pathetischen Heinrich Mann darf man
nicht mit seinem feinen und zurückhaltenden Bruder verwechseln; aber wenn es ein Buch gibt, in dem seine Unzu-
länglichkeiten sich in Vorzüge verwandelt haben, so ist es das
vorliegende Pamphlet auf das zeitgenössische Deutschland.
Der größte Wert dieses Buchs besteht darin, daß es sozusagen ein menschliches Dokument ist: von einem guten Deutschen geschrieben und zwar noch vor dem Krieg. Die Übersetzung wurde nach dem Manuskript verfertigt. Vor dem
Krieg war der Roman noch nicht gedruckt, und wir wissen
nicht, ob die ›höhere Gewalt‹ der Verhältnisse es dem Autor
erlaubt hat, sein Werk in deutscher Sprache zu drucken;
jedenfalls war es ein Akt außergewöhnlicher Zivilcourage.
Denn beinah alles Üble, was dem zeitgenössischen Deutschland von seinen Feinden vorgeworfen wird, schildert dieses
Buch in nicht mehr und nicht weniger grellen Farben. Allerdings: nach Heinrich Manns Roman über das jetzige

3 Zum Einfluß Thomas Manns (besonders seiner Begriffe »ruchloser
Ästhetizismus« und ›Zivilisationsliterat‹) auf Literaturwissenschaftler
(z. B. Walther Rehm) und -historiker (etwa Albert Soergel) vgl. bes.
Werner (1977) S. 52 f., 74 f.; Schröter, »Deutsche Germanisten als
Gegner Heinrich Manns« (in: Schröter, 1971); ferner Dittberner, S. 208 f.
Zum *Untertan* in der Literaturgeschichtsschreibung vgl. auch Geissler,
Schlenstedt, Bauer, sowie Emmerich, S. 136 ff.

Deutschland im Ganzen urteilen zu wollen hieße z. B. auch, über Rußland Nikolaus' I. im Ganzen nach Gogols ›Revisor‹ urteilen zu wollen. Dieses bestand nicht nur aus Leuten wie Skwosnik-Dmuchanowski, nein es gab außerdem noch Belinski.[4] Aber das bedeutet nicht, daß Skwosnik-Dmuchanowski eine Erfindung von Verleumdern gewesen sei. Eine solche Figur entspricht auch der Wahrheit, einer besonderen Wahrheit, von einem bestimmten Standpunkt aus gesehen, der Wahrheit einer künstlerischen Einseitigkeit, die man als solche beurteilen und würdigen muß. Man könnte beliebig viele Episoden anführen; so z. B. diese drastische kleine Szene, ein Teil der Beschreibung der Hochzeitsreise des Helden [zitiert wird die Übersetzung des vorletzten Absatzes von Kapitel 5; S. 341 der dtv-Ausgabe].

Dies ist natürlich Karikatur, aber sie drückt tiefe und echte Realität aus und das macht den Wert von Manns Buch aus. Sein Pamphlet zeigt, wie in Deutschland die besseren Leute das strebsame, selbstzufriedene, auf den verschiedensten Gebieten glänzend abschneidende, in Politik, Wirtschaft oder Öffentlichkeit Karriere machende Kleinbürgertum betrachten. Schon seit dem frühesten Kindesalter breitet der Autor das Leben seines Helden [. . .] vor unseren Augen aus, und wir können nicht umhin, in der Biographie dieses typischen Deutschen von heute den Eroberer zu erkennen, der sich nicht nur außerhalb der Grenzen seiner Heimat, sondern auch innerhalb derselben betätigt. [. . .]

In diesem moralischen und sozialen Sumpf herrscht hoffnungsloses Grauen, und selbstverständlich wäre der Autor erst recht nicht von seiner einseitigen und giftigen Anklage abzubringen gewesen, wenn er die jetzige Welle nationalistischer Leidenschaft vorhergesehen hätte. Diese Welle bringt allerdings leider nichts Neues und Unerwartetes für denjenigen, der vorher Manns Bücher und dieses Deutschland gekannt hat. In feuchtfröhlicher Tafelrunde erzählt Gymna-

---

4 Skwosnik-Dmuchanowski ist der gerissene Stadthauptmann aus Nikolaj Gogols Komödie *Der Revisor* (1836). Wissarion Belinski (1811–41), russischer Schriftsteller und Literaturkritiker.

siallehrer Kühnchen, ein Veteran des Siebziger-Krieges, wie er ein Haus anzündete, wo sich Franctireurs eingeschlossen hatten [. . .].

Vielleicht ist hier keine Übertreibung mehr vorhanden; eine ganze Generation wuchs mitten in solchen Geschichten auf. Wir wollen in keiner Weise Europa als Unschuldsengel auf Kosten eines schrecklichen Deutschland hochpreisen. Deutschland hat viele Gesichter.

[. . .] das Deutschland Heinrich Manns [. . .] ist keine Erfindung eines erbosten Pamphletisten. Es ist eine Tatsache der gegenwärtigen Kultur, allerdings nicht nur der deutschen.«

> Zit. nach: André Banuls: Zur Heinrich-Mann-Rezeption im zaristischen Rußland. In: 11. Mitteilungsblatt des Arbeitskreises Heinrich Mann (1978). S. 6–10. [Übers. von André Banuls.]

3. Die deutsche Erstausgabe (1918)

Von den rund 100 Rezensionen und Polemiken, die laut Manfred Hahn (Diss. 1965, S. 522; Nachwort, 1976, S. 453) unmittelbar nach der Veröffentlichung des *Untertan* erschienen sind, konnten etwa 25 Kritiken aufgefunden werden, von denen hier aber aus Platzgründen nur 14 Texte auszugsweise dokumentiert werden können. Es handelt sich um eine kritische Rezeption im ganzen deutschsprachigen Raum, wobei laut Emmerich (S. 127) »eine offene Polarisierung der Kritiker des ›Untertan‹ zu beobachten« ist: »hier die ›national gesinnte‹, konservative bis reaktionäre, illiberale und triebfeindliche Rechte, die den Autor haßte (wie er sie) – dort die liberal, anarchistisch oder sozialistisch Gesonnenen, die sich mit Heinrich Mann mehr oder weniger einig wußten.« Ähnlich polarisiert sind die Interpretationen, die von der Würdigung des Romans als scharfsinnige Satire und prophetisches Buch bis zu seiner Ablehnung oder Abwertung als Zerrbild und Pamphlet, also als dürftiges Kunstwerk, reichen.

Plakat von Lucian Bernhard zur Buchausgabe
des »Untertan«

Der Schriftsteller und Kritiker KURT MARTENS, der mit Thomas und Heinrich Mann befreundet war, schreibt:

»Das Schicksal von Heinrich Manns [...] Roman ›Der Untertan‹, der jetzt erst als Buch [...] herauskommt, hängt mit dem Wandel des nationalen Geistes in Deutschland eng zusammen. [...] Jetzt endlich ist seine Zeit gekommen, und die Leser werden erkennen, daß der Dichter klar und kühn wie wenige den sittlich notwendigen Zusammenbruch des alten Systems vorausgesagt hat.

Eine Art Gegenstück zu Heinrich Manns früherem Werke ›Die kleine Stadt‹ [1909], das die politischen Gegensätze unter italienischen Bürgern behandelt, verlegt ›Der Untertan‹ die einzelnen Szenen seiner Handlung [...] in eine typisch norddeutsche, zwischen Berlin und Magdeburg gelegene Kleinstadt der neunziger Jahre namens Netzig. Der als ›neudeutsche Kultur‹ sich gebärdende Byzantinismus des preußischen Militärstaates, verkörpert in der Gestalt des knechtseligen Untertanen Diederich Heßling, eines Fabrikdirektors voller Geschäftssinn und Schneidigkeit, stößt hart zusammen mit dem politischen Freisinn, der von dem klugen und gütigen alten Achtundvierziger Buck repräsentiert wird. Diederich Heßling wächst sich zu einer köstlichen Karikatur, beinahe zu einem Doppelgänger des von ihm angebeteten Wilhelm II. aus. Das ganze Arsenal fürchterlicher Phrasen, Gemeinplätze, säbelrasselnder Prahlereien des Ex-Kaisers, die damals und bis in den Krieg hinein Adel und Bürgertum berauschten, verwendet Heßling für seine höchstpersönlichen Zwecke. Von Natur nichts weiter als ein schwacher, eitler Lebenskomödiant, bläht er sich unter dem Einfluß der Staatsräson zum nationalistischen Eisenfresser auf, knechtet seine eigenen ›Untertanen‹, die Arbeiter, macht faule Geschäfte, kriecht nach oben, tritt nach unten und sieht schließlich seinen kümmerlichen Ehrgeiz als Generaldirektor, anerkannte Staatsstütze und Festredner bei der Denkmalsenthüllung voll befriedigt. Der offizielle Geist dieses nun glücklich überwundenen Zeitalters enthüllt sich in all seiner Fäulnis und seinem hohlen, geschmacklosen Protzentum, das kaiserliche Regiment wird als schlechtes Theater, als ›Absolutismus, gemildert durch Reklamesucht‹ vom Dichter gebührend gekennzeichnet.

Der künstlerischen Form nach gehört Heinrich Manns ›Untertan‹ in die Gruppe seiner reinsatirischen, karikaturistischen Romane. An Witz, dramatischer Schlagkraft, grotesken Situationen und redlichem Haß gegen jede Art von aufgeschminkter Lüge gibt er dem ›Schlaraffenland‹ [1900] und ›Professor Unrat‹ [1905] nur wenig nach. Wie ein barbarisches Götzenbild mit grellen Farben und wilden Verzerrungen ragt die Figur des Untertanen Heßling inmitten seiner Gesinnungsgenossen, einer Schar vom Koller des Imperialismus besessener Offiziere, Staatsbeamten, Pastoren, Oberlehrer, Damen der bürgerlichen Welt und Halbwelt aus jener Zeit herüber, die bald nur noch sagenhafte Züge tragen wird. Als das letzte und vielleicht bedeutendste Werk deutscher Anklage-Literatur ist ›Der Untertan‹ über Nacht zum historischen Roman geworden, zum ›Dokument von unsrer Zeiten Schande‹.«

Kurt Martens: Heinrich Manns »Untertan.« In: Münchener Neueste Nachrichten. 71. Jg. Nr. 604. 29. November 1918.

PAUL BLOCK schreibt im *Berliner Tageblatt*:

»Die Revolution kam und siegte, weil das Bürgertum innerlich morsch geworden war. Qual und Enttäuschung des Krieges gaben dem Bau, der nach außen hin noch so stolz erschien, nur den letzten zertrümmernden Stoß. Überflüssige Mühe, innerhalb deutscher Grenzen nach einzelnen Schuldigen zu suchen! Wir, die wir uns so lange geirrt haben, müssen uns endlich die Wahrheit sagen: wir selbst, wir Bürger, sind mitschuldig an allem, was geschehen ist. Denn die tragische Entwickelung mußte sich vollziehen, nachdem unter der Regierung Wilhelms II. allmählich Bürger sich in Untertanen verwandelt hatten.

Wie sieht ein solcher Untertan aus oder lieber – daß die Ver-
gangenheitsform für alle Zukunft Geltung behielte! – wie
sah er aus? Lest das Buch Heinrich Manns und ihr werdet es
wissen. [...]

Es ist einer der feinsten Züge in Heinrich Manns Schilderung, wie die Bilder von Herrscher und Untertan allmählich
ineinander übergehen. Dieser Heßling macht sich in Barttracht und Gebärde, im Ton der Rede und im Gedankengang
ganz bewußt zum Affen Wilhelms des Zweiten, dessen
staatsmännische Gesten er auf sein kleinbürgerliches Leben
überträgt, indem er sie mit plumper Philistrosität zweckmä-
ßig umgestaltet. Aus Frömmigkeit wird Bigotterie, aus Red-
nerschwung Großmäuligkeit, aus Herrscherbewußtsein
Geschäftstyrannei, aus Gottesgnadentum niedrige Arro-
ganz. Wer hätte nicht solche Kraftnaturen mit dem Haby-
Bart auf seinen Wegen gefunden? [...]

Unmöglich, die Fülle in wenigen Sätzen zu erschöpfen. Alle
politischen Parteien, alle Phrasen der Zeit nach Bismarck, in
menschliche Larven maskiert, tanzen in diesem Werk, wie in
einem Hexensabbat des Bürgertums, vorüber. Gewiß, ein
Zerrspiegel, in dem Häßliches noch häßlicher erscheint und
der manches Gerade krankhaft verkrüppelt – aber doch ein
Spiegel, dessen grausame Wahrheit wir beschämt erkennen
müssen.

Eine Gestalt ist freilich in Heinrich Manns Buch, bei deren
Schöpfung nicht Haß die Farben gerührt hat, sondern Liebe:
der alte Buck, der Bürgerdemokrat von 1848, der noch an
Ideale glaubt und in seiner Todesstunde mit entsetzten
Augen auf Diederich Heßling starrt [...]. Sollte Heinrich
Mann, der Revolutionär, der Vorkämpfer einer antinationa-
listischen Zukunft, in einem Winkel seines Herzens etwas von
der Liebe verbergen, die uns Älteren im Blute sitzt, der Liebe
für jene ersten Schwärmer des großen, einigen Deutschlands,
für jene Männer, die Manns junge Freunde heute mitleidig
lächelnd überwundene Philister nennen? Das wäre ein
scheinbarer Widerspruch, der dennoch für viele dieses Dichters Natur erst recht durchleuchten würde. Nur wer Vergan-

genes so innig zu lieben vermag, kann die Gegenwart mit
solcher Glut hassen.
[...] Immer deutlicher wird es, daß Mann nicht der artisti-
sche Menschenbildner ist, als der er verschrien wird, sondern
ein Sozialethiker großen Zuges, dem die Sache der Menschheit mehr ist als eine Literaturformel. Sein Künstlertum zeigt
sich im Aufbau – besonders der Massenszenen – mehr als in
der Auffassung des Lebens; sonst hätte er, dem es auf schärf-
ste Herausschleifung der Gegensätze ankam, weil er geißeln
wollte, manche grelle Übertönung sorgfältiger vermieden.
Nun wird das Aufruhr-Signal dieses Buches, obwohl es,
nachdem der Aufruhr geschah, zu spät kommt, durch seinen
schrillen Klang die Geister noch einmal gegeneinander zwin-
gen. ›Niedertracht‹ werden die einen brüllen, ›Gerechtigkeit‹
andere jubeln. Wenn aber der Sturm vorüber ist, wird von
Heinrich Manns ›Untertan‹ übrigbleiben, was unzerstörbar
ist: das Denkmal einer Übergangszeit, unerbittlicher, aber
auch stärker, als alle anderen Denkmäler, die sie geschaffen
hat.«

Paul Block: Buch des Propheten. Heinrich
Manns Roman »Der Untertan.« In: Berliner
Tageblatt. 47. Jg. Nr. 639. 14. Dezember 1918.

Der Lyriker und Kritiker PETER HAMECHER zitiert im
sozialdemokratischen *Vorwärts* einleitend Wolfgang Bucks
Kennzeichnung des Komödiantenhaften seiner Epoche (in
seinem Plädoyer beim Lauer-Prozeß; S. 223 und 225 des
Romans) und fährt fort:

»Heinrich Manns Roman ist der Enthüllung dieses repräsentativen Typs aus der Eitelkeitsepoche Neu-Deutschlands
gewidmet. Er schildert den Zeitgenossen Wilhelms, den
knechtseligen Götzenanbeter, der seinem Idol bis in die
Schnurrbartspitzen zu gleichen sucht, und der, glücklich, in
der Komödie des Cäsarenwahns, mitstatieren zu dürfen, des
Monarchen romantisch-prahlende Machtpose auf das ganze
Land überträgt, sie dadurch zur Gefahr machend, die sie

wurde. Weil Dr. Heßling war, war Wilhelm. Den Typ aber
beschreibt der Rechtsanwalt Buck [. . .].
Durch Heßling wird das öffentliche Leben in Deutschland
zu einem Schauspiel des Scheins, der Phrase, der herausfordernden Pose. An Stelle des Wesens ist die Rolle ge-
treten, und alle Wirkung ist Theater, hohler Schwindel, Jagd
nach dem Erfolg um jeden Preis. Mit Recht darf Buck den
Schauspieler als den repräsentativen Typ des Zeitalters
ansprechen [. . .].
Mann seziert den Typ des Untertanen, nimmt ihm die Einge-
weide aus dem Leib. Der Kern seines Wesens ist die masochi-
stische Lust an der Unterwerfung. Schon bei dem Kinde. Das
demütige Sich-Beugen unter die Macht ist ihm Wollust. [. . .]
So wird Heßling zum Untertan, zum bedingungslosen An-
beter der in Wilhelm verkörperten Macht. Eins zu werden
mit dem Fürsten bis zur Nachahmung der Karikatur, aufzu-
gehen mit dem eigenen Wesen in der ›allerpersönlichsten
Persönlichkeit‹ der Zeit wird seine Sehnsucht, und die innere
Sympathie wirkt so stark, daß sozusagen ein mystischer
Kontakt stattfindet, in dem sich ihm die Gedanken des Fürsten telepathisch mitteilen. [. . .] So entsteht der neudeutsche
Bürger: servil nach oben, brutal nach unten, ruhmredig nach
außen, feig im Innern; der Schauspieler eines falschen erlog-
nen Ideals, unwahr bis in die Knochen, nur gierig nach dem
Erfolg; eine Schwindelexistenz, vor der einem alten ehrlichen
Achtundvierziger, wie dem alten Buck, graut. [. . .]
Manns Roman, ein satirisch gesehenes Gesellschaftsbild aus
einer kleinen Stadt, ist ein bitterernstes Gemälde der Kor-
ruption des Bürgertums unter der Regierung Wilhelms des
Zweiten. Einem knechtseligen, im Innersten ungeistigen
Geschlecht, das nur an den Erfolg, an die Pose des Erfolges
glaubte, mußte dieser Mann auf Deutschlands Thron ver-
hängnisvoll werden. Inzwischen ist die Katastrophe des Wil-
helmschen Deutschland eingetreten. Man möchte heute dem
Flüchtling in Amerongen[5] einzig die Schuld geben an dem

---

5 Gemeint ist der 1918 ins niederländische Amerongen geflüchtete Kaiser
  Wilhelm II.

Verhängnis. Das Bild des tiefer Schuldigen aber bewahrt Manns künstlerisch ausgezeichneter Roman für die Nachwelt auf: das Bild Diederich Heßlings, des Typs des korrupten jüngstdeutschen Bürgertums.«

Peter Hamecher: Wilhelms Zeitgenosse. In: Vorwärts. Berliner Volksblatt. Zentralorgan der sozialdemokratischen Partei Deutschlands. 35. Jg. Nr. 347. 18. Dezember 1918. (Morgen-Ausgabe.)

MAX HERRMANN-NEISSE, Lyriker und Kritiker im Kreis um Franz Pfemfert und *Die Aktion*, schreibt:

»Ein Bürgerspiegel; deutscher Bürger, erblicke darin deine erbärmliche Figur! Es verrichten derlei Bücher eine ersprießliche Hilfsarbeit in der Reinigung der Atmosphäre. Um das Böse auszurotten, muß man es in seiner ganzen Verächtlichkeit erkennen. Sie stellen es eindeutig an den Pranger. Um den Schuldigen zu beseitigen, muß man ihn am rechten Ort finden und den Umfang seiner verwerflichen Gesinnung gerichtsnotorisch machen. Derlei Dokumente buchen historisch sein Sündenkonto.

Anfang Juli 1914 lagen diese Akten eines spruchreifen Falles abgeschlossen vor. Der Befund ist unumstößlich exakt erhärtet. Der Dichter erkennt seinen Delinquenten durch die blendendsten Masken hindurch. Und nach soviel verlogenen Schmeichelbildern eines nirgends in der Wirklichkeit vorhandenen Deutschen, zeigt Heinrich Mann den Deutschen, wie er eigentlich ist. Die Wahrheit über den deutschen Bürger. Der deutsche Bürger ist die Ursache, die Ermöglichung des deutschen Gewaltherrschers. Der Herrscher setzt den Untertan voraus, der Untertan bedingt den Herrscher. In einem tapfer deutlichen, durch die Handgreiflichkeit seines Materials für den einfachsten Kopf überzeugenden Epos ist der Urquell des Übels aufgedeckt: *Herrschen und Sichbeherrschenlassen sind die Äußerungen des gleichen einen Wahnes.* Die Legende vom belogenen, aus Gutgläubigkeit

fehltretenden Volk zerplatzt und hervorquillt die häßliche
Nacktheit jener Schicht, die willig einer Gemeinheit, von der
sie sich selbst Nutzen und Erhebung verhieß, Aktionär
blieb. [...]

Ätzend zeichnet Heinrich Mann diese Physiognomie in
Linien, die den bleibenden Bann über das Wesentlichste seiner Opfer verhängen. Die kleinliche Gehässigkeit ihres Kon-
kurrenzneides, die impotente Lüsternheit ihrer Liebeskabi-
nette, die Orgien der Gesinnungsprotzerei, das anonyme
Exzedieren und das sehr offizielle, wo der Trug schon über
den eigenen Kopf wachsende Dimensionen annimmt.
Imponderabilien der Gesamtheit sind so festgenagelt, daß
kein Entschweben mehr möglich. Einprägsamst charakteri-
stische Konfrontierung hat in den Veitstänzen einer Lohen-
grinpersiflage und eines Denkmalrummels das Format der
unvergeßlichen Geißlungen. Als ich Teile dieses Romans, vor
vier Jahren, zum ersten Male las, war mir die geringe tatsäch-
liche Wirkung des Werkes ein Beweis mehr für die Hoff-
nungslosigkeit der ganzen Situation Deutschland [...], und
ich verlangte, daß von einem so herrlich aufreizenden Buche
nichts weniger als praktisch revolutionäre Stürme erzeugt
sein müßten. Und auch dieses ist in dem Buche selber vor-
weggenommen: ›Kunst bleibt euch Kunst, und alles Unge-
stüm des Geistes rührt nie an euer Leben. Den Tag, an dem
die Meister eurer Kultur dies begriffen hätten, wie ich, würden sie euch wie ich allein lassen mit euren wilden Tieren‹...
›Dennoch dürft ihr ihnen das Feld nicht lassen.‹ Und den
Umsturzliteraten dieser Mischung ertönt das hochnotpeinli-
che Verdikt: ›es wäre besser gewesen, sie hätten einen gesunden Lärm im Lande geschlagen, als daß sie hier im Dunkeln
diese Dinge flüsterten, die doch nur von Geist und Zukunft
handelten.‹ [S. 432 f. des Romans.]

Inzwischen kam die Kriegshölle als die konsequente Frucht
aller Teufelssaat, und als sie sich selbst ausgebrannt hatte,
jene sogenannte deutsche Revolution. Eine Umstellung der
Not gehorchend, nicht dem eigenen Triebe, mehr die Fassade
ändernd als das Fundament. Aber von ganz unten her dringt

drohend der Schrei der Entrechteten. Jene Millionen, die die wirkliche endgültige Weltenumwälzung leisten werden, wo sind sie in Manns Werk? Das Volk, das dort statistisch mitwirkt [...], ist es nicht. Sie haben in der offiziellen Dichtung noch kein Echo, sie fangen erst an, in den stählernen Prosagebilden Leonhard Franks[6] Stimme zu bekommen. Manns ›Arme‹ [1917] waren es leider auch nicht [...]. Die Unbürgerlichen, ganz von neuem Beginnenden – in der großen bürgerlichen Epopöe Manns, darin doch alle Gliederung deutscher Gesellschaft des beginnenden 20. Jahrhunderts vertreten ist, ist für sie noch kein Raum –, sie sprengen wohl auch den gewohnten Paßgang der Bürgerkunst und heben aus ihrer Urtümlichkeit wie aus einem noch unverbrauchten Boden die machtvolle Beschwörung originaler Visionen. Und für sie wird die Schöpfung Manns, als des letzten zusammenfassenden und schon über den Wassern gleitenden Klassikers der deutschen Bürgerlichkeit, das Geschichtsbuch sein, das am unverfälschtesten das hassenswerte Inventar des vorsintflutlichen Bestandes birgt. Für Freie das Märchen von den Unfreien! Heut allerdings ist Manns Roman mehr eine Instanz, daran das Versanden eines hoffnungsvolleren Anfangs von Revolution zu kontrollieren wäre. Heut sind alle die Mächte, die sein greller Lichtstrahl enthüllt, noch *Mächte*, nur unter irreführender Umbenennung, heut lebt der ›Untertan‹ noch, den dieser rücksichtslose Spiegel einfängt. Er schaue hinein und sterbe am unerträglichen Anblick der eigenen Fratze!«

Max Herrmann-Neisse: Ein Bürgerspiegel. In: Die Erde. Politische und kulturpolitische Halbmonatsschrift (Breslau). Hrsg. von Walther Rilla. 1. Jg. H. 1. 1. Januar 1919. S. 15–17. – Wiederabgedr. in: M. H.-N.: Die neue Entscheidung. Aufsätze und Kritiken. Frankfurt a. M.: Zweitausendeins, 1988. S. 394–397. © 1988 Zweitausendeins, Frankfurt a. M.

6 Leonhard Frank (1882–1961), deutscher expressionistischer Prosaist und Dramatiker.

Der Schweizer Literarhistoriker Eduard Korrodi, 1914 bis
1950 Feuilletonist der *Neuen Zürcher Zeitung*, hält die Satire
des Romans für überzeichnet:

»[...] Heinrich Manns Absicht: das Deutschland Wilhelms II. in der satirischen Darstellung eines Untertans zu
verewigen [...] ist ihm nicht gelungen, obwohl er nichts
unterläßt, um das triviale Dasein des Untertans ins Schauder-
hafte zu steigern. Eine Lohengrin-Aufführung gibt ihm
besondere Gelegenheit dazu. In dieser Oper fühlt sich der
Untertan wie zu Hause: ›Schilder und Schwerter, viel ras-
selndes Blech, kaisertreue Gesinnung, Ha und Heil und
hochgehaltene Banner, und die deutsche Eiche.‹ – Es sei
nicht geleugnet, daß Heinrich Mann hier der Wagnerschen
Opernpsychologie durchaus grausam zusetzt, daß der Wahrheit solche Bemerkungen auch entsprechen: ›Guste verhieß
ihm [...], im dritten Akt käme das Allerschönste, aber dafür
müsse sie durchaus noch Pralinees haben. Als man sie hatte,
stieg der Hochzeitsmarsch‹, aber dieses seitenlange Ver-
hohnepiepeln wirkt doch nicht wie die Tat eines Satirikers
großen Stils.
Der Roman [...] gehört in die Reihe der literarischen Dokumente der jüngsten deutschen Literatur, die auf ihre negative
Kritik stolz sind. Weder England noch Frankreich besitzen
jetzt eine so zersetzende Literatur, wie sie Sternheims ›Chro-
nik zu Beginn des XX. Jahrhunderts‹[7] und Heinrich Manns
›Untertan‹ geben werden. Man wolle doch nicht immer von
Expressionismus und den Kunstformen der deutschen Literatur reden, wo es zu erkennen gilt, daß der deutsche Zusammenbruch sich schon längst in dem die Macht besitzenden
Teil der deutschen Literatur angekündigt hat. Es ist eine
Literatur des Zusammenbruchs: eine düstere und traurige
und nicht sehr würdevolle Literatur.«

Eduard Korrodi: »Der Untertan« von Heinrich
Mann. In: Neue Zürcher Zeitung. 140. Jg.
Nr. 34. 9. Januar 1919. (Erstes Morgenblatt.)

7 Carl Sternheim (1878–1942), deutscher sozialkritischer expressionistischer Dramatiker und Erzähler.

Als haßerfüllt und literarischen Pamphletismus brandmarkt
FRITZ MACK den Roman in den *Leipziger Neuesten Nachrichten*:

»Seit Sternheims ›Komödien aus dem bürgerlichen Helden-
leben‹[8] ist der Haß gegen den Bürger zur vornehmsten literarischen Mode geworden. In diesem Buche wurzelt auch bei
Mann die Neigung, bei der Charakterisierung der handeln-
den Menschen fast ausschließlich in den Farben schwarz und
weiß zu malen. Diese, künstlerisch und dichterisch anfecht-
bare Technik erscheint im ›Untertan‹ ganz besonders entwickelt. Es ist natürlich das unbestrittene Recht des Schrift-
stellers, Schwächen und Fehler seiner Mitmenschen künstlerisch zu geißeln. Damit aber der ›künstlerische‹ Charakter
eines solchen Beginnens gewahrt bleibt, wird der Schriftsteller seinen Gegenstand von der höheren Warte eines überlegenen Humors oder lächelnder Ironie behandeln [. . .]. ›Der
Untertan‹ ist nicht aus überlegenem Humor, nicht aus einer
über den Dingen stehenden Betrachtungsweise entstanden:
die geistige Triebfeder zu diesem Werk ist vielmehr tiefgrün-
diger, unversöhnlicher Haß. Haß aber ist ein Affekt, und
jeder Affekt übertreibt [. . .]. Ein solchem seelischen Unter-
grund entstiegenes Weltbild zeigt deshalb die Dinge nicht in
erlaubter, künstlerischer Verzerrung, sondern gibt ganz
andere, nicht gesehene sondern mehr erfundene Linien; es
sieht die Dinge vor allem in einer falschen Beleuchtung
und in unwahren, der Wirklichkeit nicht entsprechenden
Farben.
[. . .] Gegen den Versuch aber, ein so ausgemachtes Lumpen-
tum als typisches Kennzeichen jedes monarchisch gesinnten
Mannes (der Titel heißt: *Der Untertan!*) zu brandmarken,
muß ganz energisch Verwahrung eingelegt werden. Das ist
literarischer Pamphletismus! [. . .].
So sieht Heinrich Mann das deutsche Bürgertum unter
Wilhelm II. Er sieht es durchaus voreingenommen, mit

8 Gemeint sind Carl Sternheims Stücke *Die Hose* (1911), *Die Kassette*
(1912), *Bürger Schippel*, *Der Snob* und *1913* (1914).

vom Haß getrübten Augen, nicht mit dem unparteiischen Blick des Dichters. Heinrich Mann ist in diesem Buch selbst Partei [. . .]. Mit Kunst hat das nur wenig oder gar nichts zu tun. Darum wird der urteilsfähige Leser Heinrich Mann die Gefolgschaft versagen [. . .]. Da es aber seit den November-tagen 1918 bei gewissen Leuten Mode geworden ist, die Anhänger einer Staatsform, die unter der Wucht der Zeit-ereignisse zerbrochen ist, als moralisch minderwertig anzu-sehen, so wird das Buch den gewollten Erfolg trotzdem haben. Die politische Unwahrhaftigkeit unserer Tage feiert damit einen ihrer größten Triumphe.«

> Fritz Mack: Der Untertan. In: Leipziger Neue-
> ste Nachrichten. 60. Jg. Nr. 14. 15. Januar 1919.
> S. 2.

RICHARD RIESS aus München rühmt den Roman als eine der reifsten Satiren deutscher Sprache und ist beeindruckt durch das »Pathos des Grotesken«:

»Dieser Roman, der ein politischer Roman ist, indem er den bestimmenden Typus malt, ist ein höchst amüsantes Buch, und wir könnten ihn herzhaft belachen, wenn – ja, wenn wir die Kosten dieses Humors nicht jetzt selber so schwer zu tra-gen hätten. Künstlerisch steht das Buch, das, wie z. B. auch ›Professor Unrat‹ neben seinem Hauptthema die ›Moral‹ der ›kleinen Stadt‹ ihren Klatsch und innere Sittenlosigkeit malt, sehr hoch. Es ist aus bewunderungswürdigem Reichtum frei-gebig in der Menschengestaltung, und wenn auch jede Figur und jedes Ereignis von den karikaturistischen Gestaltungs-tendenzen Stil und Stempel erhält, so ist doch trotz mancher Vergröberung immer wieder das echte, wahre Leben zu erkennen. Der Stil ist nicht so artistisch wie in Manns frühe-ren, nicht so reine Kunstform wie vor allem in seinem letzten Werke, den ›Armen‹, die zwar dem Stoffe und der Idee nach eine Fortsetzung des ›Untertans‹ darstellen, aber bei all ihrem hohen künstlerischen Werte ihr Thema nicht so restlos erfassen und so überzeugend zur Geltung bringen, wie

›Der Untertan‹. Die Sprache des neuerschienenen Romans
ist nüchterner. Sie verzichtet auf manche früher bewun-
derte Schönheit der Heinrich Mannschen Diktion, aber sie
bringt den Gedanken klarer zur Anschauung und zum Erfassen.

Als Kunstwerk betrachtet, ist das Buch eine der wuchtigsten,
formell und inhaltlich reifsten Satiren, die wir in deutscher
Sprache besitzen. Es ist zumal im Anfange glänzend aufge-
baut. Zu riesiger Größe wachsen oft Visionen. Wie auch in
manchen früheren Büchern erscheint hier ein – keineswegs
ironisch gegebenes, sondern gerade durch seinen Ernst wirk-
sames Pathos des Grotesken.

Eine Gefahr, die mir dieses Buch in sich zu bergen scheint,
eine Gefahr, die um so größer ist, als die künstlerische Kraft
des Buches zu überzeugen versteht, sei nicht verschwiegen.
Sie liegt in der Einseitigkeit des Bildes, das der Leser aus diesem Romane von Deutschland gewinnt. Wohl ist der Typ
Heßling ein deutscher Typ, aber er ist nicht Deutschland.
Die Gegenströmung bleibt in dem Buche allzu stark im
Schatten, dabei ist sie doch immer dagewesen. Und sie hätte
sich auch im Kriege [. . .] mehr Geltung verschafft, wenn wir
nicht von den – ›Heßlingschen‹ belogen und betrogen worden wären.«

Richard Rieß: Heinrich Mann und der »Kaise-
rismus.« In: Königsberger Hartung'sche Zeitung. Nr. 31. 19. Januar 1919. (Sonntagsbeilage).
S. 2.

Der Literaturkritiker und -historiker WERNER MAHRHOLZ
sieht bei allem Respekt für den Roman im Gegenteil einen
Mangel an Pathos und damit einen Sturz »aus der Sphäre der
Satire in die Untersphäre des Pamphlets«:

»Talent und Menschlichkeit sind getrennte Sphären – Heinrich Mann beweist es immer wieder, mit jedem Buch von
neuem. Man kann viel Talent haben und als Mensch
schmächtig sein, man kann Artist sein, ohne Dichter zu sein,

man kann das Handwerk beherrschen und doch kein Handwerker sein in des Wortes alter und schöner Bedeutung.
Heinrich Manns Talent ist sehr groß: keins seiner Bücher zeigt es so deutlich wie der ›Untertan‹ – nicht die ›Göttinnen‹ [1903] und nicht ›Schlaraffenland‹, nicht die Novellen und nicht die ›Armen‹ [...]. In allen diesen Büchern ist eine Art von europäischer Leihbibliothek enthalten – einzig die beiden Bücher, in denen Heinrich Mann seinen Ärger, sein Ressentiment, seinen Haß gegen das imperialistisch-bourgeoise Deutschland austobt, einzig ›Professor Unrat‹ und der ›Untertan‹ sind Bereicherungen der deutschen Literatur. Bereicherungen in einem sehr merkwürdigen Sinne: wir haben keine politische Satire großen Stils, wir haben keine Pamphletliteratur (wie England sie in Jonathan Swifts ›Reisen Gullivers‹ z. B. hat), Heinrich Mann hat uns einiges davon zu schmecken gegeben. Ich gestehe: sie gibt keinen guten Vorschmack, diese deutsche politische Satire, sie schmeckt nach Spießerei und Kleinbürgerlichkeit, und sie hat keine innere Größe – aber immerhin: es ist Satire, es ist Pamphlet, und da es mit Talent gemacht ist, so möchte man es gehen lassen, wenn – ja wenn Heinrich Mann etwas von dem Ethos eines Swift hätte. Aber das eben fehlt: kein menschlicher Urlaut wird wach, es folgt nur Ressentiment-entladung auf Ressentimententladung. Nicht aus Freiheit des Gemüts von Leiden und Affekten heraus ist der ›Untertan‹ konzipiert und gestaltet, sondern aus bitterem Haß und ohnmächtiger Wut. So wird man des Buches nicht froh, so sucht man immer von neuem den Standpunkt, von dem aus dieser kleine Mikrokosmus aus Schlamm und Dreck gestaltet ist – und findet keinen Standpunkt, sondern nur eine ärgerliche und gehässige Beziehung des Autors zur Welt. So fehlt dem Buch jedes Pathos, und damit fällt es aus der Sphäre der Satire in die Untersphäre des Pamphlets – und als solches ist es zu lang, um auf die Dauer nicht zu langweilen, zu verstimmen und zum Widerspruch zu reizen.
Im Einzelnen aber kann man seine Freude als Artist an dem Buche haben: die literarische Faktur ist sauber, die Einfälle

sind witzig. Fast genial in ihrer Bosheit ist die Grundidee: am Untertanen und seiner Erbärmlichkeit den Charakter der Macht, personifiziert im Kaiser, und ihre Leerheit und Schauspielerei zu zeigen. [. . .]

[. . .] man muß alle Achtung haben, wie sauber alles gemacht ist: die Handlungsführung, die Charakteristik, der Aufbau der Szenen – Talent, Talent, doch wo ist der Pferdefuß? Wie macht sich der Mangel an Menschlichkeit im Künstlerischen bemerkbar?

Die Figuren dieses Romans stammen eigentlich nicht aus der Seele eines Dichters, sondern aus dem Werk der Simplizissimus-Zeichner – und so kommt es, daß es ihnen allen an der spezifischen Schwere, an Blut und Eigenwuchs, an gefülltem Menschentum fehlt. Dieser Mangel hätte vielleicht gut gemacht werden können durch ein starkes moralisches Pathos, aber das fehlt, weil der Dichter keinen Standort oberhalb seiner Geschöpfe und ihrer Schicksale hat, sondern mit beiden Beinen in dieser schlechtesten aller Welten steckt und sich an ihr ärgert, weil sie so häßlich ist. Deshalb – welche Ironie – bevölkert er sie mit Häßlingen! [. . .]

[. . .] Heinrich Mann wollte ein Zeitbild geben, und ihm gelang eine Karikatur, kaum das: ein Pamphlet. Ein geniales Pamphlet, gewiß, aber sind nicht Pamphlete als Gattung ein bißchen billig? [. . .].

Harmlose Gemüter werden das Buch belachen – man gönne ihnen diese naive Freude. Ernste Menschen werden das Buch beweinen, weil ein deutscher Dichter mit Talent es schrieb, weil es in Deutschland geschrieben werden konnte, weil es nötig war, es zu schreiben, und weil es so ganz deutsch trotz allem ist.«

Werner Mahrholz: Heinrich Manns »Untertan«. Bemerkungen über Talent und Menschlichkeit. In: Das litterarische Echo (Berlin). 21. Jg. (1918/19). 1. Februar 1919. Sp. 518–521.

KURT TUCHOLSKY, Schriftsteller und einflußreicher Kritiker (und späterer Herausgeber) der bedeutenden Zeitschrift *Die Weltbühne* (Berlin), stimmte dem Roman uneingeschränkt zu:

»Dieses Buch Heinrich Manns, heute, gottseidank, in Aller Hände, ist das Herbarium des deutschen Mannes. Hier ist er ganz: in seiner Sucht, zu befehlen und zu gehorchen, in seiner Roheit und in seiner Religiosität, in seiner Erfolganbeterei und in seiner namenlosen Zivilfeigheit. Leider: es ist der deutsche Mann schlechthin gewesen; wer anders war, hatte nichts zu sagen, hieß Vaterlandsverräter und war kaiserlicherseits angewiesen, den Staub des Landes von den Pantoffeln zu schütteln.

Das Erstaunlichste an dem Buch ist sicherlich die Vorbemerkung: ›Der Roman wurde abgeschlossen Anfang Juli 1914.‹ Wenn ein Künstler dieses Ranges das schreibt, ist es wahr: bei jedem andern würde man an Mystifikation denken, so überraschend ist die Sehergabe, so haarscharf ist das Urteil, bestätigt von der Geschichte, bestätigt von dem, was die Untertanen als allein maßgebend betrachten: vom Erfolg. Und es muß immerhin bemerkt werden, daß die alten Machthaber – ach, wären sie alt! – dieses Buch von ihrem Standpunkt aus mit Recht verboten haben: denn es ist ein gefährliches Buch. [. . .]

Diese Parallele mit dem Staatsoberhaupt ist erstaunlich durchgearbeitet. Diederich Heßling gebraucht nicht nur dieselben Tropen und Ausdrücke, wenn er redet wie sein kaiserliches Vorbild – am lustigsten einmal in der Antrittsrede zu den Arbeitern [. . .] – er handelt auch im Sinne des Gewaltigen, er beugt sich nach oben, wie der seinem Gotte, so er seinem Regierungspräsidenten, und tritt nach unten.

Denn diese beiden Charaktereigenschaften sind an Heßling, sind am Deutschen auf das subtilste ausgebildet: sklavisches Unterordnungsgefühl und sklavisches Herrschaftsgelüst. [. . .]

Das ganze bombastische und doch so kleine Wesen des kaiserlichen Deutschland wird schonungslos in diesem Buch

aufgerollt. [. . .] tiefer ist nie die Popularität Wagners enthüllt
worden als hier an einer Lohengrin-Aufführung, die voll
witziger Beziehungen zur deutschen Politik strotzt [. . .] –
und vor allem zeigt Heinrich Mann, wonach eben das Buch
seinen Namen führt: die Unfreiheit des Deutschen. [. . .]
Und noch eins scheint mir in diesem Werk, das auch noch die
kleinen und kleinsten Züge der Hurramiene mit dem aufge-
bürsteten Katerschnurrbart eingefangen hat, auf das glück-
lichste dargestellt zu sein: das Rätsel der Kollektivität. Was
der Jurist Otto Gierke einst die reale Verbandspersönlichkeit
benannte, diese Erscheinung, daß ein Verein nicht die
Summe seiner Mitglieder ist, sondern mehr, sondern etwas
Andres, über ihnen Schwebendes: das ist hier in nuce aufge-
malt und dargetan. Neuteutonen und Soldaten und Juristen
und schließlich Deutsche – es sind alles Kollektivitäten, die
den Einzelnen von jeder Verantwortung frei machen, und
denen anzugehören Ruhm und Ehre einbringt, Achtung
erheischt und kein Verdienst beansprucht. Man ist es eben,
und damit fertig. Der Musketier Lyck, der den Arbeiter
erschießt – historisch – und dafür Gefreiter wird; der Bürger
Heßling, der – nicht historisch, aber mehr als das: typisch –
alle anders Gearteten wie Wilde ansieht; sie sind Sklaven der
rätselvollen Kollektivität, die diesem Lande und dieser Zeit
so unendlich Schmachvolles aufgebürdet hat. [. . .]
Aus kleinen Ereignissen wird die letzte Enthüllung des deutschen Seelenzustandes: am fünfundzwanzigsten Februar
1892 demonstrierten die Arbeitslosen vor dem Königlichen
Schloß in Berlin, und daraus wird in dem Buch eine gran-
diose Szene mit dem opernhaften Kaiser als Mittelstaffage,
einer begeisterten Menge Volks und in ihnen, unter ihnen
und ganz mit ihnen: Heßling, der Deutsche, der Claqueur,
der junge Mann, der das Staatserhaltende liebt, der Untertan.
Und aus all dem Tohuwabohu, aus dem Gewirr der spießigen
Kleinstadt, aus den Klatschprozessen und aus den Schiebun-
gen – man sagt: Verordnungen; und meint: Grundstücks-
spekulation –, aus lächerlichen Ehrenkodexen und simplen

Gaunereien strahlt die Figur des alten Buck. Man muß so
hassen können wie Mann, um so lieben zu können. [...]
Und das Buch [...] zeigt uns wieder, daß wir auf dem rechten
Wege sind, und bestätigt uns, daß Liebe, die nach außen in
Haß umschlagen kann, das Einzige ist, um in diesem Volke
durchzudringen, um diesem Volke zu helfen, um endlich,
endlich einmal die Farben Schwarz-weiß-rot, in die sie sich
verrannt haben wie die Stiere, von dem Deutschland abzu-
trennen, das wir lieben, und das die Besten aller Alter geliebt
haben.«[9]

Ignaz Wrobel [d. i. Kurt Tucholsky]: Der Untertan. In: Die Weltbühne. 15. Jg. Nr. 13. 20. März
1919. S. 317–321. – Wiederabgedr. in: K. T.:
Gesammelte Werke. Hrsg. von Mary Gerold-
Tucholsky und Fritz J. Raddatz. Bd. 1. Reinbek
bei Hamburg: Rowohlt, 1960. S. 383. © 1960
Rowohlt Verlag GmbH, Reinbek.

Für JOSEF FROBERGER hat hier ein Schriftsteller von großem
Talent einen unwürdigen Gegenstand behandelt und ist »in
eine rein negative Richtung geraten«:

»Es ist nicht zu leugnen, daß er trotz karikaturenhafter Tendenzen manche unglückselige Schwächen des offiziellen und
offiziösen Patriotismus, namentlich in den Kreisen des
Beamtentums, mit eindringlicher Schärfe in satirische Beleuchtung rückt, aber diese ganze Art der Satire ist seelisch so

---

9 Bemerkenswert ist auch, was Tucholsky 1927 in seiner Rezension von
   Harry Domelas satirischen Memoiren *Der falsche Prinz* (vgl. Anm. zu
   31,28) über Heinrich Manns Roman sagt: »Es spricht für den genialen
   Weitblick des Künstlers, der den ›Untertan‹ geschrieben hat, daß nichts,
   aber auch nichts, was in diesem Buche steht, so übertrieben ist, wie seine
   Feinde es gern wahr haben möchten. Man hat mir von rechts her immer
   wieder, wenn ich das Buch als Anatomie-Atlas des Reichs rühmte, entge-
   gengehalten: ›Das gibt es nicht – das kann es nicht geben! Karikatur!
   Parodie! Satire! Pamphlet!‹ Und ich sage: bescheidene Fotografie. Es
   ist in Wahrheit schlimmer, es ist viel schlimmer« (»Mit Rute und Peitsche
   durch Preußen-Deutschland«, in: K. T., *Gesammelte Werke*, hrsg. von
   Mary Gerold-Tucholsky und Fritz J. Raddatz, Bd. 5, Reinbek 1975,
   S. 286).

niederdrückend, sie schließt in solchem Maße jeden freundlichen Ausblick auf Besserung durch gesunde Volkskräfte aus, daß vom ganzen Werke nur eine trübe, lähmende Stimmung ausgehen kann. [...] Die Art, wie dieser Vertreter des Bürgertums [Heßling] bis zur Schnurrbartmode den Kaiser nachahmt, sein dröhnendes Bramarbasieren mit abgeleierten patriotischen Redensarten, die ständige Wiederholung der gleichen Motive karikaturenhafter Zeichnung, dies alles wirkt auf die Dauer geradezu nervenzerreibend, es ist die reinste Spartakusliteratur.[10] Eine seelenhafte Ergründung innerlichen Lebens darf unter solchen Umständen nicht erwartet werden, die menschlichen Figuren, namentlich die Frauengestalten, sind in groben Strichen ins übertrieben Typenhafte vergrößert, nur selten begegnet man, wie bei der Gestalt von Agnes Göppel, menschlich individuellen Zügen. Innerliche Konflikte sind deswegen auch keine vorhanden, die Handlung schreitet in lediglich von außen kommenden Stößen voran.

Und dort verfügt Mann über eine ungewöhnliche Kraft und Tätigkeit künstlerischer Darstellung, die einen stets aufs neue bedauern läßt, daß der innerliche Gehalt der hervorragenden Technik so wenig entspricht. Sein Stil bietet in seinen reichen, jeder Stufe der Handlung fein entsprechenden Modulationen eine ungewöhnliche Spannweite von wirklichkeitsfreudiger Ausdrucksfähigkeit. Nur wenige moderne Schriftsteller verstehen es wie er, die Handlung und die warme Bewegtheit des Lebens in Stil und Sprache übergehen zu lassen. [...] Es ist darum aufs tiefste zu beklagen, daß ein solcher Künstler, den Neigungen der Tagesmode folgend, seine Tätigkeiten an unwürdige Gegenstände verschwendet und in eine rein negative Richtung geraten ist. Sein neuester Zeitroman, der Deutschlands Schwächen in eine so grelle, so übertrieben einseitige Beleuchtung bringt, ist trotz der angeführten stilistischen Vorzüge ein im wesentlichen durch-

10 Anspielung auf den Spartakusbund, einen Zusammenschluß linker Sozialisten 1917 unter der Führung von Karl Liebknecht und Rosa Luxemburg, aus dem 1918 die Kommunistische Partei entstand.

aus unbefriedigendes Werk, wie dies auch im Literarischen
Echo [...] in einem treffenden Aufsatz von Werner Mahr-
holz dargetan wird [S. 117 ff. des vorliegenden Bandes]. Der
Heinrich Mann von jüngeren Literaturkreisen zugedachte
Führerberuf findet in einem solchen Werke jedenfalls keine
Begründung.«

Dr. J. Froberger: Heinrich Manns neuester
Zeitroman. In: Kölnische Volkszeitung und
Handels-Blatt. 60. Jg. Nr. 228. 22. März 1919.
(Morgen-Ausgabe.)

Der Schriftsteller und Kritiker JOHANNES ÖHQUIST rühmt
den Roman als überzeugende und in ihren Mitteln gerecht-
fertigte Satire auf den Typus des imperialistischen Chauvinisten:

»Diesen in Reinkultur gezogenen Typus des wilhelminischen Deutschland hat Heinrich Mann in seinem Roman
›Der Untertan‹ mit grausam unerbittlicher Folgerichtigkeit
zu allseitig runder Plastik ausgestaltet. Sein Diederich Heßling ist der spießige und egoistische Streber, für den es keine
anderen Triebfedern und Ziele gibt, als Geld und Macht. Er
ermangelt jeder Größe – im Guten wie im Bösen – sein Herz
ist leer, sein sittliches Empfinden tot und sein Verstand erfin-
derisch und beweglich nur innerhalb der niederen Sphäre des
Eigennutzes. [...]
Heinrich Mann schüttet die überströmenden Schalen seines
Hohnes über diesen wilhelminischen Deutschen. Es ist eine
Schärfe der Satire in diesem Buche, die wie ununterbrochener
Peitschenschlag wirkt. Und die Satire ist durchweg treffend,
witzig, unerschöpflich in Erfindung und Einfällen und maß-
los bis zum Grotesken. Aber das ist zu beachten: es ist *Satire*
und darum mit anderem Maß zu messen, als ein Kunstwerk,
das ein Kind des Herzens und der Liebe ist. Hier heißt der
Vater Haß und die Mutter Spott. Solche Eltern zeugen keine
schönen und gesunden Kinder. Trotzalledem ist der Mann-
sche Untertan nicht bloß Karikatur. Er ist so folgerichtig auf-

gebaut, das Kind so ganz Vater des kommenden Mannes, daß man ungeachtet der Verzerrungen, die in gelegentlichen Derbheiten und Farbengrellheiten liegen, an der Lebensähnlichkeit und Wirklichkeit dieser Gestalt ebensowenig zweifelt, wie an den Typen eines Gulbrandsen oder eines Th. Th. Heine.[11]

Freilich gibt der Roman kein Gesamtbild der wilhelminischen Epoche, sondern nur das Bild eines ihrer schwersten Auswüchse. Daß diese Zeit nur Schatten und moralisch-geistiger Niedergang gewesen, wird auch Heinrich Mann nicht behaupten wollen. Aber er zeigt, daß das, was offiziell als der eigentliche Glanz jener Epoche ausposaunt wurde, innerlich hohl, unwahr, wertlos und eine Lüge war, weil es sich auf Dünkel, Machtbegierde und Eitelkeit aufbaute. [. . .]

Dieses schon vor dem Kriege mit solcher Klarheit erkannt und mit solcher Schärfe, Kühnheit und Unzweideutigkeit ausgesprochen zu haben, ist ein Verdienst Heinrich Manns, das ihm nicht hoch genug angerechnet werden kann. Freilich, damals gab es kaum einen, der es ihm dankte. Heute sind Unzähligen, die damals in begreiflicher Blindheit wanderten, die Augen aufgegangen. Sie werden alle in diesem Buche zu einem – und sei es noch so geringen – Teilchen ihr eigenes Selbst wiedererkennen und sich mancher geheimen oder offenen Sünden schuldig bekennen, wenn sie ehrlich und aufrichtig sind. Jeder Deutsche sollte diese grausame Strafpredigt lesen, um sich darüber Rechenschaft abzulegen, ob und inwiefern er selber diese Satire verdient hat.

Aber auch als Kunstwerk bewertet, steht Manns Roman auf recht bemerkenswerter Höhe. Er beansprucht nichts anderes oder mehr zu sein, als er ist: eine Satire. Wir müssen demgemäß die Charakterschilderung beurteilen. Die Übertreibungen sind dann verständlich und erscheinen berechtigt. In der Komposition ist das Buch tadellos klar, übersichtlich und folgerichtig, in der Ökonomie der Mittel musterhaft: trotz

11 Beide Zeichner prägten den *Simplicissimus*: der Norweger Olaf Gulbransson (1873–1958) und Thomas Theodor Heine (1867–1948); vgl. Anm. zu 268,3 f.

des großen Umfangs hat man nirgends den Eindruck von
Längen oder Wiederholungen. Es ist die Kraftleistung eines
ungewöhnlichen, starken, geistig überlegenen Zeit- und Sit-
tenschilderers. Das Bemerkenswerte an diesem Roman ist,
daß er trotz aller Bitterkeit und alles maßlosen Hohnes nicht
abstoßend wirkt, daß er, trotzdem er als Satire für versöh-
nenden Humor keinen Raum hat, doch auch das Gefühl
nicht leer ausgehen läßt. Das Geheimnis liegt in der Gestalt
des alten Achtundvierzigers Buck und der heimlichen Liebe,
in der der Dichter für diesen stillen Idealisten erglüht. Diese
heimliche Liebe ist hier Heinrich Manns Rettung als Dichter,
Künstler und Mensch. Er glaubt an etwas. Worin dieser politische oder kulturelle Glaube des Achtundvierzigers besteht,
das wird des Näheren nicht erörtert, ist an sich auch ganz
gleichgültig. Das Entscheidende ist, daß der Glaube da ist.«

> Johannes Öhquist: Ein satirischer Roman. In:
> Die Ostsee. Deutsche Zeitschrift für Wirtschaft
> und Kultur der Ostseeländer (Berlin). 1. Jg.
> H. 22/23. 25. März 1919. S. 538–541.

Der deutsch-völkische Literaturkritiker und -historiker
ADOLF BARTELS verurteilt den Roman als »eine wüste Parteischrift«:

»Zuletzt ist Manns Werk eben doch Mache, sehr raffinierte,
aber für den gescheiteren Deutschen doch sehr wohl durch-
schaubare. Man hat es als Satire hingestellt und alle Rechte
eines Satirikers [. . .] für Mann in Anspruch genommen. Aber
der Roman gibt sich durchaus als realistisches Lebensbild
und vom Moralischen findet man nicht die Spur, dazu sind
schon die unzähligen Gemeinheiten mit viel zu großem
Behagen behandelt.[. . .] Böswillige Herabwürdigung, nicht
Satire ist der Charakter seines Buches, man vergleiche auch
die Verhöhnung von Wagners (dramatisch allerdings nicht zu
haltendem) ›Lohengrin‹. [. . .]
Selbst Verfasser einer vor dem Kriege erschienenen Schrift
›Der deutsche Verfall‹ [Leipzig 1913] gebe ich ohne weiteres

zu, daß in dem Deutschland Kaiser Wilhelms II. von oben bis unten schwer gesündigt worden ist, und streite dem Dichter das Recht nicht ab, halte es im Gegenteil sogar für seine Pflicht, ein treues Bild dieses Deutschlands zu geben, damit wir jetzt zur Erkenntnis gelangen, ja, ich will auch der Satire ihr Recht gewahrt wissen, so schwer es uns in der gegenwärtigen Zeit fällt, sie zu ertragen. Aber Darstellung und Satire müssen aus deutscher Seele kommen, es muß nicht kalt und frech alles hinweggeschnitten werden, was den Glauben an das eigene Volkstum und die Zukunft erhalten könnte, es müßte möglichst mit Humor dargestellt [. . .] werden [. . .]. Mann hat die deutsche Aufgabe in keiner Weise geleistet, sein Buch ist eine wüste Parteischrift [. . .]. Wie gesagt, wir werden Heinrich Mann in Zukunft ernst nehmen, aber nur, wie wir den gefährlichen Feind ernst nehmen, der uns jederzeit überfallen kann, und den wir aus der Welt zu schaffen, uns kein Gewissen machen.«[12]

> Adolf Bartels: Der »Neue« Roman. In: Konser-
> vative Monatsschrift (Berlin). 76. Jg. Nr. 6.
> März 1919. S. 400 f.

Noch schärfer urteilt KARL STRECKER, Literatur- und Theaterkritiker der *Täglichen Rundschau* (Berlin):

»Wenn man den Schaufenstern, den Reklamezinkenisten und jenen behenden Trabanten glauben dürfte, die allem Geschrei folgen, um mitschreien zu können und jedem Markterfolg die Schleppe tragen, so wäre heute Heinrich Mann ein wirklich großer Mann und sein Bruder Thomas ein Nichts dagegen. Jeder Urteilsfähige [. . .] wird aus der Abwägung der beiden letzten Werke der Brüder Mann zu dem ent-

12 Tatsächlich erhielt Mann nicht nur offene Briefe (vgl. Hermann Nagel in der *Deutschen Zeitung* vom 30. 3. 1919, 2. Beilage, S. 9) aus reaktionären, alldeutschen Kreisen, sondern auch Androhungen von Meuchelmord (vgl. den Brief G. H. Meyers an Mann vom 28. 3. 1919, in: Wolff, *Briefwechsel*, S. 233) und Duellforderungen – vgl. Manns Essay *Der Europäer* (1941), s. »Heinrich Mann. Essays aus dem Nachlaß«, in: *Aufbau* 14 (1958) H. 5/6. S. 506.

gegengesetzten Urteil kommen. Und zwar gleichviel, welchen politischen Standpunkt er vertritt, wird er, sofern er ehrlich ist, zugeben müssen, daß Thomas Mann seine Sache reinlicher führt und mit unvergleichlich mehr Kultur, daß er der selbständigere Denker, der feinere Kopf, der ernstere Arbeiter, der tiefer Gebildete, der größere Mensch ist. [. . .]
[. . .] Jedenfalls hat Heinrich Mann während seines ganzen Schaffens niemals auf eigenen Füßen gestanden, außer in seinem ›Professor Unrat‹ und in seinem ›Untertan‹. Beide sind vom Haß diktiert, sie triefen von Geifer, sie schwitzen Gift [. . .]. Er glaubt vielleicht Satire zu geben, aber ihm fehlt die innere Größe dazu, er bringt es nur bis zur Schmähschrift, dem Pamphlet. [. . .]
Wäre Heinrich Mann ein Schriftsteller, der durch seine Satire bessern, helfen, belehren will, so könnte man mit ihm ernsthaft darüber reden, daß die Unzulänglichkeit von Einrichtungen und Zuständen immer durch die Unzulänglichkeit der menschlichen Natur bedingt ist, wie wir gerade an den Ereignissen der letzten Monate sehen. Gleichwohl würde man dann seine Satire als berechtigt anerkennen. Aber mit einem Schriftsteller, der nur verleumdet, nur Gift und Wut und Haß ausdünstet, ist sachlich nicht zu reden.«

Karl Strecker: Thomas und Heinrich Mann. Ein Vergleich nach ihren beiden letzten Werken. In: Tägliche Rundschau. 39. Jg. Nr. 79. (Unterhaltungsbeilage.) 15. April 1919.

Auch dem liberalen Journalisten THEODOR HEUSS – nachmals der erste Präsident der Bundesrepublik Deutschland – erschien der Roman als ein Pamphlet:

»Heinrich Mann auf den Spuren Zolas: was der Franzose in ungezählten Bänden leisten wollte, die ›Natur- und Sozialgeschichte einer Familie unter dem Zweiten Kaiserreich‹, in den Rougon-Macquarts, das ungefähr wollte Mann in den zwei Büchern verdichten: ›Der Untertan‹ und ›Die Armen‹. [. . .]

Während Thomas Mann aus seiner beherrschten Kühle die Liebe leuchten lassen will, die Deutschland für ihn bedeutet, immer etwas bedacht, daß dies in guter Form geschehe, verwandelt Heinrich seine bewegte Leidenschaft zu erkältendem Haß, und auf gute Haltung kommt es ihm nicht mehr an. Der ›Untertan‹ ist ein starker Versuch, und der Einfall, in dem ›Helden‹, dem Parvenu-Industriellen Heßling, den Kaiser zu zeichnen, konnte zum großen Wurf werden, aber die Ausführung blieb leider in der Kolportage stecken. Nicht darüber soll gesprochen werden, ob das Wilhelminische Deutschland in der Tat so ausgesehen hat, ob der deutsche Typus der ekelhafte, feige, verbrecherische und brutale Bursche war, wie er hier beschrieben ist, ob die deutsche Mittelstadt eine Sammlung von Eseln, Lüstlingen, Bonzen usw. – das Buch ist ein gut geschriebenes Pamphlet, aber ein ganz dürftiges Kunstwerk. Zum Humor fehlt ihm die Liebe, zum Haß die freie Leidenschaft – was bleibt, sind ein paar glänzende Episoden, wie die Lohengrin-Aufführung, die das Tempo einer überlegenen Satire erhält, während die sexuellen Geschichten, die Gerichtsszenen, die politischen Intrigen nur wenig über ganz grobe Mache emporragen. Mann möchte Pedant des ›Milieus‹ sein – es fehlt ihm die Geduld. Er möchte die Groteske geben – es fehlt ihm die Freiheit des Lachens. Der hassende Politiker erschlägt den anschauenden Dichter.«

Theodor Heuss: Mann gegen Mann (1919). In: Th. H.: Vor der Bücherwand. Skizzen zu Dichtern und Dichtung. Hrsg. von Friedrich Kaufmann und Hermann Leins. Tübingen: Wunderlich, 1961. S. 289 f. – Mit Genehmigung der Deutschen Verlags-Anstalt, Stuttgart.

Weitere Rezensionen aus den Jahren 1918/19 sind im Anhang der von Peter-Paul Schneider herausgegebenen Studienausgabe des Romans im Fischer Taschenbuch Verlag (1991) bibliographiert.

4. Ausgaben und Auflagen

Mit dem *Untertan* erzielte Heinrich Mann seinen ersten und einzigen Massenerfolg (Werner, 1977, S. 14), aber nach der ersten Auflage (1918) von 100 000 Stück, von der binnen weniger Wochen 80 000 Exemplare verkauft wurden,[13] erfolgte erst 1925 eine Nachauflage (Berlin/Wien/Leipzig: Zsolnay Verlag) von nur 5 000 (Zenker, S. 11). 1929 erschien in einer Auflage von 50 000 eine Neuausgabe mit einem Vorwort des Autors im Berliner Sieben-Stäbe-Verlag (s. S. 92 f. des vorliegenden Bandes); bis 1933 waren also über 150 000 Exemplare im Verkehr. Nach 1945 erlebte der Roman eine zweite Bestsellerzeit. Die erste Nachkriegsausgabe (Berlin: Aufbau-Verlag) erschien 1946 in einer Auflage von 12 000, 1947 in drei weiteren Auflagen von 30 000 Exemplaren; bis 1971 wurden vom »Untertan«, einschließlich der Lizenzausgaben in der »Universal-Bibliothek« des Leipziger Reclam-Verlags (1956 [u. ö.]), nahezu 800 000 Exemplare verbreitet. In der Bundesrepublik erschien der Roman erst 1964 in einer preiswerten Taschenbuchausgabe (im Deutschen Taschenbuch Verlag, München, als Lizenzausgabe des Claassen-Verlags). Von dieser Ausgabe wurden bis 1982 510 000 Exemplare verkauft (Banuls, 1983, S. 79); im Februar 1984 erschien die 26. Auflage (591. bis 640. Tausend); inzwischen liegt die 35., durchgesehene Auflage vor. Im Juni 1991 ist auch eine von Peter-Paul Schneider herausgegebene und mit einem umfangreichen Nachwort und Materialienteil versehene Ausgabe im Fischer Taschenbuch Verlag erschienen.

5. Wirkung im Ausland: Übersetzungen

Der *Untertan* ist auch früh und immer wieder in verschiedene Fremdsprachen übersetzt worden (hierzu Banuls, 1966, S. 653–658), so z. B. ins Russische (1914/15, 1930), ins Eng-

13 Das teilte Mann Félix Berteaux am 19. 10. 1922 mit (vgl. *Heinrich Mann 1871–1950*, S. 192).

lische (1921, 1945, 1947), ins Französische (1922, 1928), ins Spanische (1931), ins Niederländische (1947), ins Tschechische (1949, 1953), ins Ungarische (1950, 1963), ins Bulgarische (1951), ins Polnische (1951), ins Slowenische (1952), ins Italienische (1954), ins Lettische (1960), ins Estnische (1961) und ins Japanische (1967).

Als erster Roman Heinrich Manns in englischer Übersetzung erschien der *Untertan* 1921 unter dem Titel *The Patrioteer* (New York: Harcourt, Brace & Co.). Diese laut Titelseite »autorisierte Übersetzung«[14] von Ernest Boyd (1887 bis 1946) erfuhr noch zwei weitere Veröffentlichungen: 1945 unter dem Titel *Little Superman* (New York: Creative Age Press) und 1947 unter dem Titel *Man of Straw* (London / New York [u. a.]: Hutchinson International Authors).

In der amerikanischen Literaturkritik (so z. B. in *The Dial*, New York, 72, 1922, S. 324) wurde *The Patrioteer* (etwa »Der Chauvinist«) als eine scharfe Satire von epischer Breite gewürdigt, in der das imperialistische Deutschland so treffend entlarvt werde wie die Vereinigten Staaten in Sinclair Lewis' 1920 publizierten Roman *Main Street*.

Unter dem Titel *Little Superman*, der den amerikanischen Leser ironischerweise vielleicht mehr an den in den dreißiger Jahren erfundenen Comic-strip-Helden Superman als an Nietzsches ›Übermenschen‹ erinnerte (Richard Watts, Jr., »German Insect Patriot«, in: *The New York Times Book Review*, 16. 12. 1945, S. 11), wurde der Roman wiederum als prophetisches Buch interpretiert, jetzt als (satirische) Analyse des »typischen« Deutschen, der sich für Hitler begeistert

14 Auskunft über diese Übersetzung gibt es weder im Heinrich-Mann-Archiv (Berlin) noch im Kurt-Wolff-Archiv (Yale University) noch im Historischen Archiv des Verlags Harcourt Brace Jovanovich (Orlando/Florida). In seinem Brief vom 17. September 1920 an Eugen Bautz (abgedruckt in der von Peter-Paul Schneider 1991 im Fischer Taschenbuch Verlag herausgegebenen Studienausgabe des Romans, S. 611–613) erwähnt Mann einen (bislang unbekannten) Brief, »den ich auf seinen Wunsch dem Herausgeber der englischen Ausgabe meines *Untertan* schrieb«. Zur Entstehung und Rezeption dieser Übersetzung vgl. jetzt Frederick Betz, »Mencken and the ›Patrioteers‹: On the History of a Word«, in: *Menckeniana* (Baltimore), Nr. 121, 122 und 123 (1992).

habe, oder als literarische Selbstkritik, die die Deutschen 1918/19 leider nicht ernst genug genommen hätten (Lewis Mumford, »A Letter to a German Writer«, in: *The Saturday Review of Literature*, Nr. 50 vom 8. 12. 1945, S. 7–9, 30 bis 36).[15]

Erstaunlicherweise wird erst in einer Besprechung der Taschenbuchausgabe von *Man of Straw* in der Reihe »Penguin Modern Classics« (New York 1984) ausführlich auf die Übersetzung von Ernest Boyd eingegangen (Mark W. Roche in: *The German Quarterly* 59, 1986, S. 492–494). An einer Reihe von Beispielen zeigt Roche, daß Boyds Übersetzung nicht nur überholt bzw. mangelhaft, sondern auch unvollständig ist. Ausgelassen wurden u. a. auch wichtige Episoden oder Textstellen im »Untertan«, so z. B. (in der dtv-Ausgabe) S. 237, S. 250–253 (Diederich Heßling und Napoleon Fischer), S. 311 f., S. 327–335 (die *Lohengrin*-Aufführung), S. 364 f. und S. 422 f.

6. Literarische Einflüsse und Nachwirkungen

a

Lutz Winckler stellt die Frage, ob der *Untertan* Einfluß auf Klaus Manns (1906–49) Buch *Mephisto. Roman einer Karriere* (Amsterdam: Querido Verlag, 1936) gehabt haben könnte:

»*Mephisto* ist als einziger der Romane Klaus Manns konzipiert als Satire. Als ›satirisch-politischen Roman‹ hat Klaus

---

15 Laut Mumford mangelt es den Deutschen (im Vergleich zu den Engländern und Amerikanern) an einer Literatur der Selbstkritik (»literature of self-criticism«), und unter den wenigen deutschen Autoren, die ihr Land in den vorigen hundert Jahren herausgefordert hätten, hebt er nur Heinrich Heine und Heinrich Mann hervor. Vgl. hierzu auch Gunter Groll über die Verfilmung des Romans durch Wolfgang Staudte (s. S. 137 f. des vorliegenden Bandes): »Aber wie immer man auch dazu steht: er ist einer der wenigen großen deutschen Versuche zur rückhaltlosen politischen Selbstkritik« (in: *Süddeutsche Zeitung*, 11. 3. 1957, zit. nach Wolff, S. 41).

Mann ihn bezeichnet. [...] Der Hinweis auf den *Untertan*
[Brief Klaus Manns vom 8. 2. 1936 an Katia Mann] zeigt
Klaus Mann bereits am Strom Heinrich Mannscher Gesell-
schaftssatire; als sicher darf seine Kenntnis der Quellen gel-
ten.[16] Klaus Manns Epik bis hin zu *Mephisto* scheint in *einer*
Hinsicht die Entwicklung des satirischen Werks Heinrich
Manns von den Künstlernovellen über *Schlaraffenland*
[1900] bis zur *Kleinen Stadt* [1909] nachzuvollziehen: die
Entwicklung nämlich von der novellistischen Künstlerepik
zum satirischen Theater- und Gesellschaftsroman. [...]
Mephisto vereinigt alle diese Merkmale [...].«

> Lutz Winckler: ». . . ein richtig gemeines Buch,
> voll von Tücken.‹ Klaus Manns Roman *Me-*
> *phisto.*« In: Klaus Mann. Werk und Wirkung.
> Hrsg. von Rudolf Wolff. Bonn: Bouvier, 1984.
> S. 65 f.

Dabei unterscheidet WINCKLER die Form der Literatursatire
in *Mephisto* von der Gesellschaftssatire im *Untertan*:

»Es hieße freilich die besondere Struktur des Romans ver-
fehlen, wollte man dem Hinweis auf Heinrich Manns *Unter-*
tan unbesehen folgen. Das satirische Baugesetz von *Mephi-*
sto ist komplizierter, seine satirischen Effekte sind vermittel-
ter. Der Roman arbeitet zwar mit dem gesellschaftlichen
Material und den historischen Schlüsseln des satirischen
Zeitromans. Die Gesellschaftssatire in *Mephisto* hat aber
ganz wesentlich die Form der Literatursatire. Gegenstand
der satirischen Kritik ist die parodistische und groteske

16 »Klaus Mann hatte noch während der Niederschrift von *Mephisto*
Onkel Heinrichs Roman ›Der Untertan‹ wiedergelesen, ›ein nicht nur
literarisch ganz außerordentliches, sondern absolut erschreckend prophetisches Buch: es kommt einfach alles schon vor«, wie er am
8. 2. 1936 an Katia Mann schreibt (Uwe Naumann, *Klaus Mann mit*
Selbstzeugnissen und Bilddokumenten, Reinbek 1984, S. 82). Naumann
(S. 85) zitiert auch einen Brief von Klaus' Bruder Golo, vom
11. 12. 1936, nach dem der *Mephisto* »immerhin mit dem ›Untertan‹ in
einem Atem zu nennen« sei.

Umdeutung literarischer Motive, Bilder und Traditionen, der Kampf um deren moralische Neubesetzung. Ein solches Motiv ist das aus verschiedenen Traditionen – der klassischen deutschen Literatur, dem romantischen Satanismus und dem Dandyismus des Fin-de-siècle – zusammengesetzte Motiv des *Mephisto*.«

Ebd. S. 66.

Zu thematischen und motivischen Verbindungen zwischen *Mephisto* mit seinem Protagonisten Hendrik Hoefgen und dem *Untertan* (Diederich Heßling) äußert sich auch RAINER RUMOLD:

»Klaus Mann entlarvt seinen Hoefgen (ähnlich wie Heinrich Mann seinen Heßling entlarvt) als einen ›mephistophelisch gewordenen Kleinbürger, der mit der blutigen Macht paktierte‹ [*Mephisto*, Reinbek: Rowohlt, 1986, S. 284]. Man könnte Klaus Manns Roman in mehrfacher Hinsicht als das Ergebnis einer neuen Lektüre [re-reading] bzw. einer neuen Fassung [›re-writing‹] des *Untertan* in einem politisch vollentwickelten und in seiner diabolischen Fratze [diabolic grimace] schamlos enthüllten Kontext verstehen. In der Gestalt des Hoefgen verbinden sich die Intelligenz, die philosophische Erkenntnis [awareness], aber auch die moralische Nachgiebigkeit [flexibility] eines Wolfgang Buck mit dem ruchlosen Ehrgeiz eines Diederich Heßling. Wie sie im totalitären System ihre jeweiligen Ziele erstreben, erweisen sich Hoefgen und Heßling als Teufelsbrüder [brothers in the devil]. Hoefgen verkörpert die Ideologie einer ›Ästhetisierung der Politik‹ [Walter Benjamin, 1934], und in diesem Sinne könnte er als ein ›gesteigerter‹ [›heightened‹] Heßling bezeichnet werden. Während aber Wolfgang Buck sowohl die Rolle eines aktivistischen Rechtsanwalts als auch die eines resignierten Hamlet-Darstellers spielt, schließt Hoefgen einfach einen Pakt mit der teuflischen Macht, und deshalb muß er gerade in der Hamlet-Rolle versagen. ›Du bist nicht Hamlet‹, antwortet ihm der Dänenprinz im imaginierten Zwiegespräch, ›denn du bist ein Affe der Macht‹ [*Mephisto*, S. 331].«[17]

> Rainer Rumold: »Rereading Heinrich Mann's *Der Untertan*: The Seeds of Fascism, or Satire as Anticipation.« In: Imperial Germany. Essays. Hrsg. von Volker Dürr [u. a.]. Madison: University of Wisconsin Press, 1985. S. 178 f. [Übers. von Frederick Betz.]

Auf Grund seiner vergleichenden Analyse kommt Rumold zu dem Schluß, daß beide Romane (jeder auf seine Weise) letzten Endes die Fragwürdigkeit (»questionableness«) der satirischen Kunst im 20. Jahrhundert aufzeigen (S. 179).

b

In ihrem Buch *Der erste antifaschistische Roman. Heinrich Manns ›Untertan‹*, Moskau: Verlag Kniga, 1974 (vgl. Autorreferat im 5. Mitteilungsblatt des Arbeitskreises Heinrich Mann, 1974, S. 26–28) weist die sowjetische Literaturwissenschaftlerin Tamara Motyljowa auf weitere mögliche Einflüsse oder Nachwirkungen hin (auf die aber hier nicht eingegangen werden kann). Motyljowa gibt u. a. Beispiele (die im Autorreferat nicht genannt werden) für den wachsenden Einfluß des *Untertan* auf die deutsche antimilitaristische und antifaschistische Literatur vor 1933 und erkennt Motive oder die Tradition des Romans in der deutschen Exilliteratur, z. B. in Johannes R. Bechers Roman *Abschied* (1941),[18] in der

---

17 Eine systematische Sprach- und Motivuntersuchung wäre für die vergleichende Analyse beider Romane sehr nützlich. Hier sei nur auf zwei kleine Beispiele der satirischen Darstellung in *Mephisto* hingewiesen: »›Wer gegen meine Freunde ist, der ist gegen mich‹, betonte drohend der Dicke [der Ministerpräsident]« (S. 313); »Die leibhaftige Gegenwart der Macht [des Führers] verwirrte und ängstigte ihn [Hoefgen]. [. . .] Das Antlitz der Macht [. . .]. Die Macht hatte eine sehr ordinäre Nase – ›eine gemeine Nase‹, wagte Hendrik, in dessen Bewunderung sich Auflehnung und sogar Hohn mischten, zu denken. Der Schauspieler bemerkte, daß die Macht gar keinen Hinterkopf hatte« (S. 315).

18 Vgl. die Taschenbuchausgabe (Reinbek: Rowohlt, 1968), mit einem Essay von Georg Lukács, der diese Parallele zieht.

Nachkriegsliteratur, z. B. in Wolfgang Koeppens Roman
Der Tod in Rom (1954),[19] aber auch in der Literatur anderer
Länder, z. B. in William Faulkners Roman *Light in August*
(1932) oder in Robert Merles Roman *La Mort est mon métier*
(1952).
Einen möglichen Einfluß des *Untertan* auf Brechts Stücke
Der aufhaltsame Aufstieg des Arturo Ui (geschrieben 1941,
uraufgeführt 1958) und *Aufstieg und Fall der Stadt Mahagonny* (uraufgeführt 1930) erörtert Lea Ritter-Santini (1988),
die Arturo Ui mit Diederich Heßling vergleicht und auf die
Assoziation von Brechts »Netzestadt« (*Mahagonny*, Szene 1) zu Netzig sowie auf das Wiederauftauchen des Sprichworts »Wie man sich bettet, so liegt man« in dem rebellischen
Refrain der Jenny (*Mahagonny*, Szene 16) hinweist (S. 77 f.).

c

1969 veranstaltete die Literaturzeitschrift *Akzente* (München) eine Umfrage bei deutschen Autoren der Gegenwart
nach der Wirkung Heinrich Manns auf sie und ihr Werk,
deren Ergebnis im ganzen enttäuschend war, wie der Herausgeber Hans Bender mitteilte: »26 Autoren wurden ge-
fragt. 15 haben Antworten gegeben, die sie nicht gedruckt
sehen wollten. ›Ich müßte Heinrich Mann nochmals lesen‹,
›Ich bin wenig mit seinem Werk vertraut‹, ›Ich habe Henri
IV[20] zu lesen begonnen, aber nie beendet‹, diese und ähnliche
Antworten wiederholten sich.« Unter denen, die sich ausführlicher äußerten, war HEINRICH BÖLL (1917–85), der
unter der Überschrift »Kritiklos untertan« schrieb:

»Im ›Untertan‹ ist die deutsche Klein- und Mittelstadtgesell-
schaft bis auf den heutigen Tag erkennbar. Es bedarf nur
weniger Veränderungen, um aus diesem scheinbar histori-

19 Vgl. *Über Wolfgang Koeppen*, hrsg. von Ulrich Greiner, Frankfurt a. M. 1976, S. 109, 146; Manfred Koch, *Wolfgang Koeppen. Literatur zwischen Nonkonformismus und Resignation*, Stuttgart 1973,
S. 113 und S. 14 f.
20 Heinrich Manns Romane *Die Jugend des Königs Henri Quatre* (1935)
und *Die Vollendung des Königs Henri Quatre* (1938).

schen Roman einen aktuellen zu machen: den Mißbrauch alles ›Nationalen‹, des ›Kirchlichen‹, der Schein-Ideale für eine handfest-irdisch-materielle bürgerliche Interessengemeinschaft, der alles Humanitäre, sozialer Fortschritt, Befreiung jeglicher Art verdächtig ist, deren Moral heuchlerisch ist, die kritiklos untertan ist. Ich war erstaunt, als ich den ›Untertan‹ jetzt wieder las, erstaunt und erschrocken: fünfzig Jahre nach seinem Erscheinen erkenne ich immer noch das Zwangsmodell einer untertänigen Gesellschaft.«[21]

Heinrich Böll: Essayistische Schriften und Reden. Bd. 2. Köln: Kiepenheuer & Witsch, 1979. S. 393. © 1979 Verlag Kiepenheuer & Witsch, Köln.

7. Die Verfilmung durch Wolfgang Staudte (1951)

Die Probleme, die sich bei der Rezeption des Romans zeigten, wurden abermals deutlich, als der Regisseur Wolfgang Staudte (1906–84) den *Untertan* in den DEFA-Studios der DDR verfilmte (Uraufführung in der DDR: 31. August 1951, in der BRD: 8. März 1957).[22] JÜRGEN WOLFF schreibt dazu:

»Zweifelsohne werden hier die karikaturhaften Züge des Romans überzogen, was aber das Medium Film nahelegt und nicht ausschließlich Staudte angelastet werden kann, wenn dadurch auch alte Vorurteile gegen das Werk wieder hochkommen. Störender erscheinen die Bemühungen, all das, was den Grundpositionen der DDR zuwiderlaufen könnte, aus dem Film zu verbannen: Die Darstellung des ›Untertan‹ Heßling als typischen Vertreter des deutschen Bürgertums

21 Zu dieser Antwort im Zusammenhang mit Bölls Eintreten für die SPD und insbesondere für die Kandidatur Willy Brandts zum Bundeskanzler (1969) vgl. Klaus Schröter, *Heinrich Böll mit Selbstzeugnissen und Bilddokumenten*, Reinbek 1982, S. 100–104.
22 Informationen über diesen Film und eine Dokumentation ausgewählter Kritiken bietet der von der Stiftung Deutsche Kinemathek (Berlin) herausgegebene Katalog *Zur Retrospektive Wolfgang Staudte* (1974).

Szene aus Wolfgang Staudtes DEFA-Film »Der Untertan«:
Diederich Heßling (Werner Peters) und Regierungspräsident
von Wulckow (Paul Esser) im Gerichtssaal

rückt ins Zentrum. Was der Roman sonst an Gesellschafts-
kritik enthält, wird heruntergespielt, erinnert sei nur an die
intriganten Wahlabsprachen, bei denen die Linke schlecht
wegkommt, und an die Darstellung des Arbeiterfunktionärs
Fischer, der im Film in einem positiveren Licht als im Roman
erscheint. Daß ein Regisseur, der der DDR nahesteht, sich
solcher politischen Kosmetik bedient, ist noch verständlich –
der künstlerische Wert des Films steht außer Frage –, daß
aber ein Teil der westdeutschen Kritik, all die Vorurteile
gegen Heinrich Mann wieder aufwärmend, diesen Film in
die Sphäre des Kalten Krieges zwischen Ost und West hin-
einzieht, muß unverständlich bleiben. Hier liegt ein weiteres
Beispiel vor für die unzureichende Heinrich-Mann-Rezeption in der Bundesrepublik.«

> Jürgen Wolff: Stundenblätter »Der Untertan«.
> Interpretationsmethoden – Arbeitstechniken –
> Sozialformen. Stuttgart: Klett, 1979, S. 38.

8. Der *Untertan* auf der Bühne (1977)

Im April 1977 brachte das Schauspielhaus Bochum den
Untertan in einer zweiteiligen Aufführung heraus. Die Be-
arbeitung des satirischen Romans zur »Komödie« stammte
von Robert Muller, die Regie der Aufführung führte Jürgen
Flimm, und die Hauptrolle des Diederich Heßling spielte
Hans-Christian Rudolph.[23] GÜNTHER SCHLOZ rezensierte
die Aufführung in der *Deutschen Zeitung (Christ und Welt)*
vom 29. April (»So muß der Mann sein – muß er?«) und
13. Mai 1977 (»Die Seele des deutschen Wesens«):

»›Grausame Welt. So muß man sein!‹ Das sind die Leitworte
für Robert Mullers Komödie ›Der Untertan‹, geschrieben
nach Heinrich Manns Bestseller von 1918 [. . .]. Das historische Buch, mit prophetischer Hellsicht geschrieben, ist

---

23 Das 9. *Mitteilungsblatt des Arbeitskreises Heinrich Mann* (1977) enthält Näheres zum Programmheft und ein Verzeichnis von Zeitungskri-
tiken.

aktuell geblieben. Die Bochumer Einrichtung des Romans für zwei Spielabende will seine Botschaft szenisch brisant machen. [...]

Robert Muller, der die Bochumer Theaterfassung schrieb, wurde als Deutscher jüdischer Herkunft geboren, lebt seit 1938 in England, ist britischer Staatsbürger geworden. Er hat sich als gewiefter Aufbereiter von Romanliteratur fürs Fernsehen ausgewiesen, über 60 Fernsehspiele, Bearbeitungen und Originale geschrieben. Auch den ›Untertan‹ hat Muller schon fürs BBC-Fernsehen [1971] adaptiert. Auf die Frage des Bochumer Dramaturgen, was er außer dem Faschismus hasse, antwortete Muller: ›Langeweile im Theater. Sie müssen auch unbedingt aufschreiben, daß ›Der Untertan‹ eine Komödie ist.

Und in der Tat: Langweilig geriet seine Komödie nach Heinrich Manns satirischem Roman nicht. [...].«

»[...] Zeigte die Aufführung die historischen Vorgänge nur eindimensional, so vergegenwärtigte sie den Typus des wilhelminischen Deutschen desto bedrängender. Der Untertan wurde nicht als Spottfigur abgelebter Deutschheit der schieren Lächerlichkeit preisgegeben, sondern spielte sich als der in immer neuen Masken auftretende Prototyp deutscher Männlichkeit an seine Doppelgänger im Parkett heran.«

Zit. nach: 9. Mitteilungsblatt des Arbeitskreises
Heinrich Mann. 1977. S. 10–16.

Szene aus Wolfgang Staudtes DEFA-Film »Der Untertan«: Diederich Heßling und Guste Daimchen (Renate Fischer) präsentieren auf ihrem Hochzeitsfest das neue Toiletten-papier Marke »Weltmacht«

9. Der *Untertan* in der ZEIT-Bibliothek der 100 Bücher der Weltliteratur

Während der Jahre 1978/79 präsentierte eine sechsköpfige Jury – Rudolf Walter Leonhardt, Hans Mayer, Rolf Michaelis, Fritz J. Raddatz, Peter Wapnewski, Dieter E. Zimmer – Woche für Woche in der ZEIT (Hamburg) »Die 100 Bücher der Weltliteratur«. Am 16. März 1979 stellte ALFRED KANTOROWICZ Heinrich Manns Roman vor:

»Heinrich Manns Roman ›Der Untertan‹, der ihm dauerhaften Ruhm und dauerhafte Feindschaft eingetragen hat, wurde bald nach der Jahrhundertwende konzipiert. [. . .]. Als der Roman nach der in ihm vorausgesagten Niederlage veröffentlicht wurde, erreichte er sofort Massenauflagen.
Im ›Untertan‹, der nicht nur mit dem Kunstmittel der Satire gestaltet ist, nahm Heinrich Mann Abschied vom liberalen Bürgertum des XIX. Jahrhunderts. Mit der Figur seines ›Helden‹ Diederich Heßling hat er – wir gebrauchen seine Worte –: ›Die Vorgestalt des Nazi‹ enthüllt, der das Zeitalter für Jahrzehnte prägen würde. Daher sind prophetisch Probleme vorausgesagt, deren Bedeutung erst viel später verstanden wurde: die umstrittene Frage der ›Kollektivschuld‹ beispielsweise. Heßling zeigt schon als Schulknabe Eigenschaften, die, voll entfaltet, Kennzeichen des Nationalsozialismus sein werden. Er tut sich hervor bei der Mißhandlung des einzigen jüdischen Mitschülers: ›Was Diederich stark machte, war der Beifall ringsum . . . Wie wohl man sich fühlte bei geteilter Verantwortlichkeit und einem Schuldbewußtsein, das kollektiv war!‹ [S. 11 des Romans] Vieles geht in diesem vorahnenden Roman über den Alltag des Wilhelminischen Reiches hinaus. Heßlings wollüstiges Erschauern, als ein unbewaffneter Arbeiter fast grundlos von einem Soldaten erschossen wird, gehört zu den Extremfällen. Man wird es 1912 für überspitzt gehalten haben, jemanden dadurch zu charakterisieren, daß man ihn nach einer solchen Gewalttat ›schnaufend vor innerer Bewegung‹ ausrufen ließ: ›Für mich

hat der Vorgang etwas direkt Großartiges, sozusagen Majestätisches. Daß da einer, der frech wird, einfach abgeschossen werden kann, ohne Urteil, auf der Straße! Bedenken Sie, mitten in unserem bürgerlichen Stumpfsinn kommt so was Heroisches vor! Da sieht man doch, was Macht heißt!‹ [S. 134.] Zur Gewohnheit wurde solche Gesinnung erst rund drei Jahrzehnte später.

Bei dem von Karrieristen und Geschäftemachern provozierten Majestätsbeleidigungsprozeß, Kernstück der Handlung, in dem Heßling als Hauptbelastungszeuge hervortritt, bezeichnet der skeptische, liberale Rechtsanwalt Buck den forschen, deutsch-völkischen Untertanen, der sich zu einer Hauptgefahr für Deutschland und die Welt auswächst [. . .].

Die Untertanen, die stets ihre nationale Gesinnung hochspielen, halten Reden wie ›Kreuzritter‹. Damals hieß der ›Erbfeind‹ Frankreich, und Deutschland war das machtvolle Bollwerk gegen die von Westen andringende ›Schlammflut der Demokratie‹. Vorzeichen und ›Erbfeinde‹ konnten im Bedarfsfalle mühelos ausgewechselt werden. Der gleichgeschaltete Untertan war leicht umzuschalten. Seine Substanz blieb erhalten: ›Die Verehrung der Macht.‹ Der profitable Gehorsam; die karrierefördernde Gesinnung, das prämierte Denunziantentum.

Das Gespür Heinrich Manns für die Untertanenmentalität ist erstaunlich. Manches reicht auf nicht voraussehbare Weise in unsere Tage hinein – und zwar auch bezogen auf die andere Seite, wo die Macht sich verabsolutiert hat. Man liest mit Erschrecken den Satz: ›Dann kann es geschehen, daß über das Land sich ein neuer Typus verbreitet, der in Härte und Unterdrückung nicht den traurigen Durchgang zu menschlicheren Zuständen sieht, sondern den Sinn des Lebens selbst . . .‹ [S. 225]. Der Untertan und der Parteifunktionär [Napoleon Fischer] als Geschwister. Beider Hauptfeind ist die Aufklärung, der Freisinn. Im Roman ist der Feind verkörpert in der ›beleidigenden Menschlichkeit‹ [S. 223] des alten Buck (dem Vater des schwächlichen libera-

len Anwalts). Der Alte, ganz XIX. Jahrhundert, war Vorkämpfer der bürgerlichen Revolution von 1848. Er zehrt von
dem Ruhm, damals zum Tode verurteilt worden zu sein.
Seine Generation steht dem Untertanen noch im Wege. Für
Heßling war er: ›der Antipode; da gab es nur eins: zerschmettern!‹ [S. 223].[24] Mit dem Sieg des Untertanen dankt
das Zeitalter der Aufklärung ab.
Das Vokabular, dessen sich Heinrich Mann zur Kennzeichnung der Wilhelminischen Epoche bediente, mutet uns 70
Jahre nach dem Entwurf noch und wieder vertraut an.
›Deutschland erwache‹ gehörte bereits zum Sprachschatz der
Untertanengesellschaft. Auch die Warnung: ›Der Umsturz
erhebt sein Haupt‹. Die ›Zuchtlosigkeit‹ muß bekämpft werden. Und der ›aus dem Schlummer gerüttelte Bürger‹ ist
›erwacht zum berechtigten Selbstgefühl, das tüchtigste Volk
Europas und der Welt zu sein . . .‹ [S. 442]. Die Sprache ver-
rät, daß wir uns noch im Zeitalter befinden, das durch den
›Untertanen‹ geprägt worden ist.«

Alfred Kantorowicz: Heinrich Mann: ›Der
Untertan‹. In: Die Zeit. Nr. 12. 16. März 1979.
S. 50. – Wiederabgedr. in: Die ZEIT-Bibliothek
der 100 Bücher. Hrsg. von Fritz J. Raddatz.
Frankfurt a. M.: Suhrkamp, 1980. S. 335–337.

10. Der *Untertan* und kein Ende

Trotz zunehmender Anerkennung bleibt Heinrich Manns
Roman in der Kritik sehr umstritten. So schreibt z. B. der
Historiker JOACHIM FEST in seiner Studie *Die unwissenden
Magier. Über Thomas und Heinrich Mann*[25], der *Untertan*

24 Die beiden Zitate von S. 223 des Romans beziehen sich auf den Sohn
   Wolfgang Buck (während seiner Verteidigungsrede vor Gericht).
25 Der Titel von Fests Buch stammt von Golo Mann, der 1974 in Erinne-
   rung an die Zeit der kalifornischen Emigration schrieb: »Wenn ich
   H. M. und T. M. zusammen politisieren hörte, [. . .] hatte ich manchmal
   das [. . .] Gefühl: Was reden doch die zwei unwissenden Magier da?«
   (G. Mann, *Zeiten und Figuren. Schriften aus vier Jahrzehnten*, Frankfurt a. M. 1979, S. 322).

offenbare nachdrücklich »Unvermögen oder Unwillen des
Autors, den komplexen Charakter aller sozialen oder
menschlichen Realität zu erfassen«:

»Wieviel Beobachtungsschärfe und grandios bösartigen Ein-
fallsreichtum, wieviel bestürzendes Vorauswissen das Buch
auch vorweist – am Ende enthält es mehr pamphletistische
als literarische Wahrheit und steht mit seiner verächtlich
wegwerfenden Gebärde der eigenen Intention eher entgegen; bezeichnenderweise sollte es ursprünglich auch das
Motto haben: ›Dies Volk ist hoffnungslos.‹[26] In keiner Szene
jedenfalls, keiner seiner bald berechenbaren Reaktionen
gewinnt Diederich Heßling Züge, in denen die Leser ihr
eigenes Untertanentum wiedererkennen konnten. Als durch
und durch konstruierte Figur, eine ins Mythologische gestei-
gerte Sozialmarionette, förderte sie eher die Vorstellung, der
Untertan sei immer nur der andere.«

Joachim Fest: Die unwissenden Magier. Über
Thomas und Heinrich Mann. Berlin: Siedler,
1985. S. 96 f. © 1985 Wolf Jobst Siedler Verlag,
Berlin.

In seiner Rezension von Fests Buch fragt der Münchner Poli-
tologe KURT SONTHEIMER dagegen:

»Liegt nicht die Bedeutung von Heinrich Manns großem
Roman ›Der Untertan‹ gerade darin, daß es ihm darin gelungen ist, einen sozialen Typus, der für die deutsche Geschichte
so repräsentativ wie verhängnisvoll war, so treffsicher auf die
literarische Bühne zu stellen, daß die politische Kultur des
Wilhelminismus in ihm quasi verkörpert schien? Welche
Romane gibt es, in denen eine wichtige Etappe im deutschen
politischen Schicksal exemplarischer und prophetischer
erfaßt worden wären als diesen? Und dieser Heinrich Mann

---

26 Das schrieb Mann in einem Brief an René Schickele vom 8. 1. 1907 (zit.
 nach: Banuls, 1970, S. 95).

soll kein bedeutsamer, kein genuin politischer Schriftsteller
sein? Kann man so bewußt daneben greifen?«

> Kurt Sontheimer: Joachim Fests Versuch, Tho-
> mas und Heinrich Mann zu entpolitisieren. Der
> Humanität beraubt. Zu dem Essay ›Die unwis-
> senden Magier‹. In: Die Zeit. Nr. 27. 4. 7. 1986.
> S. 17. – Mit Genehmigung von Kurt Sonthei-
> mer, München.

Auch in der neueren Geschichtsforschung gehen die Mei-
nungen auseinander. So vertritt z. B. der Münchner Historiker THOMAS NIPPERDEY in seinem Essay »War die Wilhelminische Gesellschaft eine Untertanen-Gesellschaft?« (in:
Th. Nipperdey, *Nachdenken über die deutsche Geschichte*,
München: Beck, 1986, S. 172–185) die These, daß das »Bild
von der Untertanengesellschaft« – sowohl in Manns Roman
als auch im zeitgenössischen und späteren Urteil – »eine Teilwahrheit und nur eine Teilwahrheit« sei (S. 175). Aber auch
wenn er den *Untertan* für »einen engagierten, aggressiven,
kritischen Tendenzroman« hält, der »nicht zeigen, wie es
[. . .] eigentlich gewesen« sei, »sondern anklagen und verän-
dern, nicht ein abgewogenes Ganzes, sondern die eigentliche
Gefahr benennen« wolle (S. 172), besteht nach Nipperdey
»die Größe des Romans [. . .] darin, daß eine generelle Kritik
unlösbar mit den besonderen deutschen Verhältnissen verbunden« sei (S. 173).

In seinem neuen Buch über *Wilhelm II and the Germans. A
Study in Leadership* (New York / London: Oxford Univer-
sity Press, 1991) kommt der amerikanische Historiker THO-
MAS A. KOHUT – der den Essay von Nipperdey nicht zu ken-
nen scheint – zu dem Schluß, die Zeitgenossen hätten den
Kaiser, als Persönlichkeit, für die Verkörperung (»reflec-
tion«) seiner Untertanen bzw. seiner Zeit gehalten (S. 231).
Kohut sützt sich dabei auf die kritischen Betrachtungen von
Zeitgenossen wie Walther Rathenau (1867–1922) und Egon

Friedell (1878–1938)[27] und meint, genau dieses Verhältnis
zwischen Wilhelm II. und den Deutschen habe Mann in seinem Roman im allgemeinen, in seinem Hauptcharakter (Diederich Heßling als »the quintessential Wilhelmian German«)
im besonderen dargestellt (S. 231, 233; 175).

Zum Schluß sei auf die Kritik von MARCEL REICH-RANICKI
anläßlich der Neuausgaben der Werke Heinrich Manns im
Fischer Taschenbuch Verlag (Studienausgabe in Einzelbänden, hrsg. von Peter-Paul Schneider) hingewiesen. In seinem
Essay »Heinrich Mann – Ein Abschied nicht ohne Wehmut«
(in: M. Reich-Ranicki, *Thomas Mann und die Seinen*, Stuttgart: Deutsche Verlags-Anstalt, 1987, S. 109–151) setzt sich
der bekannte Literaturkritiker der *Frankfurter Allgemeinen
Zeitung* vornehmlich mit der literarischen Qualität von
Manns Werk auseinander. Im Grunde hält es Reich-Ranicki
mit Arthur Schnitzler, der zwar in seinem Brief vom 3. Januar 1919 an Mann schrieb, er halte den *Untertan* für »eine
ganz außerordentliche Leistung,« »kühn im Entwurf, uner-
bittlich in der Durchführung, von wildestem Humor, und
mit unvergleichlicher Kunst erzählt«, aber in seinem erst
1985 veröffentlichten Tagebuch bemerkte: »Außerordentlich
– doch mehr caricaturistisch im Detail als satirisch im großen.
Dazu allzu viel Haß und Einseitigkeit. [. . .] Gelegentliche
Geschmacklosigkeit« (27. Dezember 1918). Dazu meint
Reich-Ranicki: »Ja: die häufig unkontrollierte Lust an der

27 Walther Rathenau, *Der Kaiser. Eine Betrachtung*, Berlin 1919: »Dies
Volk in dieser Zeit, bewußt und unbewußt, hat ihn so gewollt, nicht
anders gewollt, hat sich selbst in ihm so gewollt, nicht anders gewollt«,
und: »Nicht einen Tag lang hätte in Deutschland regiert werden können, wie regiert worden ist, ohne die Zustimmung des Volkes« (S. 24 f.).
Egon Friedell, *Kulturgeschichte der Neuzeit*, Bd. 3, München 1931,
S. 421: »Ja man darf sogar sagen, daß Wilhelm der Zweite in gewissem
Sinne tatsächlich die Aufgabe eines Königs vollkommen erfüllt hat,
indem er fast immer der Ausdruck der erdrückenden Mehrheit seiner
Untertanen gewesen ist, der Verfechter und Vollstrecker ihrer Ideen,
der Repräsentant ihres Weltbildes. Die meisten Deutschen der wilhel-
minischen Ära waren nichts anderes als Taschenausgaben, verkleinerte
Kopien, Miniaturdrucke Kaiser Wilhelms.«

Karikatur, der oft unbeherrschte Haß, die extreme Einseitigkeit und die nicht seltenen Geschmacklosigkeiten haben den
›Untertan‹ um seine volle Wirkung gebracht – und viele
andere Bücher Heinrich Manns ebenfalls« (S. 129).[28]
Laut Reich-Ranicki werden »die Fragwürdigkeit des ›Untertan‹ und deren Ursache [. . .] besonders deutlich«, wenn man
diesen Roman mit *Professor Unrat* (1905), genauer, Diederich Heßling mit Professor Raat, vergleiche (S. 129 f.). Auch
den Unrat degradiere Mann bis zur Lächerlichkeit, er zeige
einen ekelhaften Menschen, den er auch verachte und hasse.
Doch je tiefer sich dieser Unrat in jene Affäre verstricke, die
schließlich zu seinem Untergang führe, desto mehr errege er
ein Gefühl des Autors, mit dem dieser, als er den Roman
begonnen, vielleicht gar nicht gerechnet habe, nämlich Mit-
leid. Im Unterschied zu Heßling sei Unrat nicht nur wider-
lich, sondern auch bedauernswert;[29] er sei deswegen eine
ungleich interessantere Figur als Heßling, wenn nicht die
interessanteste im Werk von Heinrich Mann. Beide Romane
liest Reich-Ranicki nur noch »als wichtige und ehrenwerte
Dokumente im Archiv der deutschen Literaturgeschichte
unseres Jahrhunderts« (S. 151).[30] Aber trotz aller Kritik am

28 Vgl. hierzu auch Dagmar Barnouw (*Weimar Intellectuals and the
   Threat of Modernity*, Bloomington 1988), die Diederich Heßling für
   keine echte (»true«) Figur hält, weil er einfach zu schlecht (»bad«) sei
   (S. 34). Bei Mann herrsche der Haß eines Beobachters (»onlooker«),
   ihm fehle die ironische Ambivalenz eines kritischen Teilnehmers (»par-
   ticipator«), wie z. B. des englischen Kulturhistorikers Lytton Strachey
   (1880–1932), der vor allem in seinen neuartigen biographischen Studien
   Eminent Victorians (1918) und *Queen Victoria* (1921) mit dem vikto-
   rianischen Zeitalter satirisch-kritisch, d. h. schonungslos, aber auch mit
   Verständnis abgerechnet habe (S. 35 f.).
29 George F. Babbitt, die Titelfigur des satirischen Sozialromans *Babbitt*
   (1922) von Sinclair Lewis, erweist sich auch am Ende als bedauernswert
   (»pitiable«), auch wenn Lewis Materialismus, Profitgier, Chauvinismus
   (»100 per cent Americanism«), Anpassungsfähigkeit (»conformism«)
   und Heuchelei seines Protagonisten schonungslos entlarvt. Ein ausführlicher Vergleich Diederich Heßlings mit George F. Babbitt wäre
   nützlich, jedenfalls geeigneter als der Vergleich des *Untertan* mit Lewis'
   Roman *Main Street* (s. S. 131 des vorliegenden Bandes).
30 Vgl. hierzu neuerdings Klaus Harpprecht, »Bruder Heinrich«, in: *Die
   Zeit*, Nr. 9, 21. Februar 1992. – Gegen diese Kritik verteidigt Peter-Paul

Untertan übt Reich-Ranicki auch Nachsicht gegen Manns »ehrgeizigstes literarisches Vorhaben« (S. 127), und mit dieser Nachsicht soll auch die vorliegende Dokumentation der Wirkungsgeschichte abgeschlossen werden: »Oder sollten wir etwa ungerecht sein und gar zu streng ein Werk beurteilen, das doch wie kein anderes jene Mentalität aufzudecken und wirkungsvoll zu zeigen vermochte, die Deutschlands schrecklichste Tragödie ermöglicht hat? Der ›Untertan‹ wurde häufig als ein prophetisches Buch bezeichnet; das mag übertrieben sein, so ganz falsch ist es nicht« (S. 129).

Schneider im Nachwort zur Studienausgabe des Romans (S. 497 f.) den *Untertan* ausdrücklich als »literarisches Kunstwerk«: »Das Ensemble dieser [satirischen] Mittel erst zeigt ihren subtilen, höchst präzisen Einsatz durch den Autor – ein Verfahren, das mit allen anderen als mit dem eines ›Holzhammers‹ (Marcel Reich-Ranicki) verglichen werden kann.«

V. Literaturhinweise

1. Ausgaben

Der Untertan. Roman. In: Zeit im Bild. Moderne illustrierte Wochenschrift (Berlin/München/Wien). Jg. 12 (1914). 1. 1. 1914 bis 13. 8. 1914. [In Fortsetzungen.]

Wernopoddannyj. Übers. von Adele Polotsky-Wolin. In: Sowremennyj Mir (St. Petersburg). Nr. 1–6, 9, 10 (Januar–Oktober 1914). [Russische Übersetzung des »Untertan« in Fortsetzungen.]

Wernopoddannyj. Übers. von Adele Polotsky-Wolin. 2 Bde. St. Petersburg: Zuckermann, 1915.

Der Untertan. Roman. Leipzig/München/Wien: Kurt Wolff, 1918.

Das Kaiserreich. Die Romane der deutschen Gesellschaft im Zeitalter Wilhelms II. 2 Bde. Berlin/Wien/Leipzig: Zsolnay, 1925. [Bd. 1: Der Untertan. Die Armen (1917). Bd. 2: Der Kopf (1925).]

Der Untertan. Roman. Ungekürzte Neuausgabe mit einem neuen Vorwort des Dichters. Berlin: Sieben-Stäbe-Verlag, 1929.

Der Untertan. Roman. Berlin: Aufbau-Verlag, 1946 (1947, 1953 [u. ö.]). – Berlin/Weimar: Aufbau-Verlag, 1976. Mit einem Nachwort von Manfred Hahn.

Der Untertan. Roman. Hamburg: Claassen, 1958. [Lizenzausgabe des Aufbau-Verlags, Berlin.]

Gesammelte Werke. Hrsg. von der Deutschen Akademie der Künste zu Berlin. Red. Sigrid Anger. Berlin/Weimar: Aufbau-Verlag, 1965 ff. [Bd. 7: Der Untertan. 1965. – Zit. als: GW VII.]

Der Untertan. Roman. München: Deutscher Taschenbuch Verlag, 1964. (dtv 256.) [Lizenzausgabe des Claassen-Verlags, Hamburg.] 35. Aufl. 1993. [Copyright: Aufbau-Verlag, Berlin.]

Der Untertan. Roman. Mit einem Nachwort und Materialienanhang von Peter-Paul Schneider. Frankfurt a. M.: Fischer Taschenbuch Verlag, 1991. (Studienausgabe in Einzelbänden.) [Lizenzausgabe des Aufbau-Verlags, Berlin/Weimar.]

2. Schulausgaben und Erläuterungen

Der Untertan. Extraits présentés par P[aul] Dehem. Paris: Hachette, 1955. (Collection germanique. Classiques Hachette.) [94 S. mit Abb.]

Hilgenfeld, Martin: Politische Thematik in der erzählenden Literatur.

Frankfurt a. M. 1975. (Literaturperspektiven. Arbeitsanregungen
für den Sprach- und Literaturunterricht in der Sekundarstufe II.)
[S. 22–31.]

Wolff, Jürgen: Stundenblätter »Der Untertan.« Interpretationsme-
thoden – Arbeitstechniken – Sozialformen. Stuttgart: Klett, 1979.
[163 Seiten mit 39 Seiten Beilage.]

Reiners-Woch, Ingeborg: Heinrich Mann: Der Untertan. Köln ²1982.
(Demokratische Erziehung. Unterrichtseinheiten für Schule und
Jugendbildung.)

Kesler, Henryk: Heinrich Manns »Der Untertan«. In: H. K.: Fakten
und Hintergründe. Sieben deutsche Prosawerke des 20. Jahrhunderts erläutert. Lund: Liber Förlag, 1982. (Handböcker: tyska.)
S. 9–29.

3. Briefe

Heinrich Mann: Briefe an Karl Lemke und Klaus Pinkus. Hamburg:
Claassen, [1963]. [Lizenzausgabe des Aufbau-Verlags, Berlin.]

Thomas Mann – Heinrich Mann. Briefwechsel 1900–1949. Hrsg. von
Hans Wysling. Frankfurt a. M.: Fischer, 1968. Erw. Neuausg. Ebd.
1984.

Dietzel, Ulrich: Heinrich Manns Briefe an Maximilian Brantl. In:
Weimarer Beiträge 14,2 (1968) S. 393–422.

Heinrich Mann: Briefe an Ludwig Ewers 1889–1913. Berlin/Weimar:
Aufbau-Verlag, 1980.

4. Essays und Erinnerungen

Heinrich Mann: Macht und Mensch. München: Kurt Wolff, 1919.

Heinrich Mann: Essays aus dem Nachlaß. In: Aufbau (Berlin) 14
(1958). Nr. 5/6. S. 499–512.

Heinrich Mann: Essays. Hamburg: Claassen, 1960.

Heinrich Mann: Ein Zeitalter wird besichtigt. Düsseldorf: Claassen,
1974. [Zit. als: Zeitalter.]

5. Bibliographie

Heinrich-Mann-Bibliographie. Werke. Bearbeitet von Edith Zenker.
Berlin/Weimar: Aufbau-Verlag, 1967.

Arbeitskreis Heinrich Mann: Mitteilungsblatt. Hrsg. von Siegfried

Sudhof [u. a.]. Nr. 1–21. Lübeck 1972–82. [Laufende Bibliographie.]

Heinrich Mann Jahrbuch. Hrsg. von Helmut Koopmann und Peter-Paul Schneider in Zsarb. mit dem Senat der Hansestadt Lübeck, Amt für Kultur. 1983 ff. [Laufende Bibliographie.]

Heinrich Mann. Werk und Wirkung. Hrsg. von Rudolf Wolff. Bonn: Bouvier, 1984. (Sammlung Profile. 7.) S. 134–167. [Bibliographie.]

6. Dokumente und Sammelwerke

Heinrich Mann 1871–1950. Werk und Leben in Dokumenten und Bildern. Mit unveröffentlichten Manuskripten und Briefen aus dem Nachlaß. Hrsg. von Sigrid Anger. Berlin: Aufbau-Verlag, 1971. ²1977. [Zit. als: Heinrich Mann 1871–1950.]

Heinrich Mann. Hrsg. von Heinz Ludwig Arnold. München: Boorberg, 1971. (Text und Kritik. Sonderband.)

Heinrich Mann am Wendepunkt der deutschen Geschichte. Internationale wissenschaftliche Konferenz aus Anlaß des 100. Geburtstages von Heinrich Mann März 1971. Deutsche Akademie der Künste zu Berlin 1971.

Heinrich Mann 1871–1971. Bestandsaufnahme und Untersuchung. Ergebnisse der Heinrich-Mann-Tagung in Lübeck 1971. Hrsg. von Klaus Matthias. München: Fink, 1973.

Heinrich Mann. Sein Werk in der Weimarer Republik. Zweites Internationales Symposion Lübeck 1981. Hrsg. von Helmut Koopmann und Peter-Paul Schneider. Frankfurt a. M.: Klostermann, 1983.

7. Forschungsliteratur

Arntzen, Helmut: Die Reden Wilhelms II. und Diederich Heßlings. Historisches Dokument und Heinrich Manns Romansatire. In: Literatur für Leser. Zeitschrift für Interpretationspraxis und geschichtliche Texterkenntnis. Jg. 1980. S. 1–14.

Banuls, André: Heinrich Mann. Le poète et la politique. Paris: Klincksieck, 1966. [Mit Bibliographie.]

– Heinrich Mann. Stuttgart: Kohlhammer, 1970.

– Zur Heinrich-Mann-Rezeption im zaristischen Rußland. Zwei Dokumente. In: Arbeitskreis Heinrich Mann. Mitteilungsblatt Nr. 11 (1978). S. 2–10.

– Heinrich Mann. Der Untertan (1914–1918). In: Deutsche Romane des 20. Jahrhunderts. Neue Interpretationen. Hrsg. von Paul M. Lützeler. Königstein (Ts.): Athenäum-Verlag, 1983. S. 78 bis 94.

Barnouw, Dagmar: Heinrich Mann und die Ethologie der Macht. In: Jahrbuch der Deutschen Schillergesellschaft. Bd. 21 (1977). S. 418 bis 451.

Bauer, Edda: Bemerkungen zur Heinrich-Mann-Rezeption in Kulturpolitik, Publizistik und Literaturgeschichtsschreibung der bürgerlichen Gesellschaft. In: Weimarer Beiträge 19 (1973) H. 6. S. 201–215.

Baumann, Margaret E.: The Theme of ›Geist und Tat‹ in the Creative Writings of Heinrich Mann. Diss. Aberdeen 1967. [S. 224–258.]

Bier, Jean-Paul: Hermann Broch und Heinrich Mann. In: Hermann Broch und seine Zeit. Akten des Internationalen Broch-Symposiums Nice 1979. Hrsg. von Richard Thieberger. Bern [u. a.]: Lang, 1980. S. 71–87.

Boonstra, Pieter E.: Heinrich Mann als politischer Schriftsteller: Diss. Utrecht 1945.

Brude-Firnau, Gisela: ›Gazetten sollen nicht geniert werden.‹ Zur Verarbeitung der Zeitungskarikatur in Heinrich Manns »Untertan«. In: Neophilologus 60 (1976) S. 560–569.

Dehem, Paul: Heinrich, Guillaume, Diederich et nous. In: Études Allemandes. Recueil dédié à Jean-Jacques Anstett. Presses Universitaires de Lyon 1979. S. 153–183.

– Zerlumpte, Uniformierte, bürgerlich gekleidete und befrackte Menschheit – und ein nackter Mann. Zu einem Motiv in Heinrich Manns »Der Untertan«. In: Arbeitskreis Heinrich Mann. Mitteilungsblatt Nr. 17 (1982). S. 39–59.

Dirksen, Edgar: Autobiographische Züge in Romanen Heinrich Manns. In: Orbis Litterarum 21 (1966) S. 321–332. [Bes. S. 326 bis 329.]

Dittberner, Hugo: Heinrich Mann. Eine kritische Einführung in die Forschung. Frankfurt a. M.: Athenäum-Verlag, 1974. [Mit Bibliographie.]

Doerfel, Marianne: A Prophet of Democracy: Heinrich Mann, the Political Writer, 1905–1918. In: Oxford German Studies 6 (1971/1972) S. 93–111. [Bes. S. 97–99.]

Ebersbach, Volker: Heinrich Mann. Leben – Werk – Wirken. Leipzig: Reclam, 1978. [S. 134–157.]

Eggert, Hartmut: Das persönliche Regiment. Zur Quellen- und Entstehungsgeschichte von Heinrich Manns »Untertan.« In: Neophilologus 55 (1971) S. 298–316.

Emmerich, Wolfgang: Heinrich Mann: »Der Untertan«. München: Fink 1980. ³1984. (Text und Geschichte. 2.) [Mit Bibliographie.]

Geissler, Klaus: Der »Untertan« in Literaturgeschichtswerken der BRD. In: Heinrich Mann am Wendepunkt der deutschen Geschichte. Internationale wissenschaftliche Konferenz aus Anlaß des 100. Geburtstages von Heinrich Mann März 1971. Deutsche Akademie der Künste zu Berlin 1971. S. 54–58.

Hahn, Manfred: Das Werk Heinrich Manns. Von den Anfängen bis zum »Untertan«, 1885–1914. Diss. Leipzig 1965 [Teil 1: 1885 bis 1907.]

– Heinrich Manns Beiträge in der Zeitschrift »Das Zwanzigste Jahrhundert«. In: Weimarer Beiträge 13 (1967) S. 996–1019.

Hardaway, R. Travis: Heinrich Mann's ›Kaiserreich‹-Trilogy and his Democratic Spirit. In: Journal of English and Germanic Philology 53 (1954) S. 319–333.

Haupt, Jürgen: Zur Wirkungsgeschichte des Zivilisationsliteraten. Heinrich Mann und der Expressionismus. In: Neue Deutsche Hefte 24 (1977) S. 675–697.

– Heinrich Mann. Stuttgart: Metzler, 1980. (Sammlung Metzler. 189.) [Mit Bibliographie.]

Hauschild, Jan-Christoph: Franz Kafkas Kommentar zu einer Szene im »Untertan«. In: Arbeitskreis Heinrich Mann. Mitteilungsblatt Nr. 13 (1979). S. 6–9.

Hillman, Roger: Die »Lohengrin«-Parodie in Heinrich Manns »Der Untertan«. In: Arbeitskreis Heinrich Mann. Mitteilungsblatt Nr. 15 (1981). S. 123–129.

Hocker, Monika: Spiel als Spiegel der Wirklichkeit. Die zentrale Bedeutung der Theateraufführungen in den Romanen Heinrich Manns. Bonn: Bouvier, 1977. [Bes. S. 46–58, 88–94, 106–108.]

Ihering, Herbert: Heinrich Mann. Berlin: Aufbau-Verlag, 1951. [Bes. S. 59–65.]

Kantorowicz, Alfred: Heinrich Manns Vermächtnis. In: Heinrich Mann. Hrsg. von Heinz Ludwig Arnold. München: Boorberg, 1971. (Text und Kritik. Sonderband.) S. 15–33.

Kaufmann, Hans: Zwei Erzähler: Heinrich Mann und Thomas Mann. In: H. K.: Krisen und Wandlungen der deutschen Literatur von Wedekind bis Feuchtwanger. Berlin/Weimar: Aufbau-Verlag, 1966. S. 82–117. [Bes. S. 113–117.]

Kieser, Harro: Zum Verkauf einer Erstausgabe des »Untertans«. Mit Hinweisen auf die Druckgeschichte des Werkes. In: Arbeitskreis Heinrich Mann. Mitteilungsblatt Nr. 10 (1977). S. 55–57. [Zu Kurt Wolffs Privatausgabe 1916.]

Kieser, Harro: Zur Erstausgabe des «Untertan». In: Arbeitskreis Heinrich Mann. Mitteilungsblatt Nr. 15 (1981). S. 66–68.

Kirsch, Edgar / Schmidt, Hildegard: Zur Entstehung des Romans »Der Untertan«. In: Weimarer Beiträge 6,1 (1960) S. 112–131; 433 [Nachtrag].

Linn, Rolf N.: Wilhelm und Wulckow: die zwei Gesichter der Macht im »Untertan«. In: Seminar 10 (1974) S. 104–115.

Little, David B.: The Parvenu in the Berlin Novel, 1871–1918. Diss. Madison 1977. S. 122–133.

Lützeler, Paul M.: Heinrich Manns ›Kaiserreich‹-Romane und Hermann Brochs ›Schlafwandler‹-Trilogie. In: Heinrich Mann. Sein Werk in der Weimarer Republik. Zweites Internationales Symposion Lübeck 1981. Hrsg. von Helmut Koopmann und Peter-Paul Schneider. Frankfurt a. M.: Klostermann, 1983, S. 183 bis 210.

Motyljowa, Tamara: Pernyj antifaschistskij roman. »Wernopoddannyj« Genricha Manna. [Der erste antifaschistische Roman. Heinrich Manns »Untertan«.] Moskau: Verlag Kniga, 1974 [Autorreferat in: Arbeitskreis Heinrich Mann. Mitteilungsblatt Nr. 5 (1974). S. 26–28.]

Müller-Seidel, Walter: Justizkritik im Werk Heinrich Manns. Zu einem Thema der Weimarer Republik. In: Heinrich Mann. Sein Werk in der Weimarer Republik. Zweites Internationales Symposion Lübeck 1981. Hrsg. von Helmut Koopmann und Peter-Paul Schneider. Frankfurt a. M.: Klostermann, 1983, S. 103–127. [Bes. S. 110–119.]

Nägele, Rainer: Theater und kein gutes. Rollenpsychologie und Theatersymbolik in Heinrich Manns Roman »Der Untertan«. In: Colloquia Germanica. Jg. 1973. H. 1. S. 28–49.

Nerlich, Michael: Der Herrenmensch bei Jean-Paul Sartre und Heinrich Mann. In: Akzente 16 (1969) S. 460–479.

Ricken, Ulrich / Ute Riedel: Zur Sprache der Gesellschaftsbeschreibung in Heinrich Manns »Untertan«. In: Zeitschrift für Phonetik, Sprachwissenschaft und Kommunikationsforschung 27 (1974) S. 203–211.

Riesel, Elise: Textanalyse zu Heinrich Manns Roman »Der Untertan«. In: Sprachpflege (Leipzig) 9 (1960) Nr. 4. S. 67–71.

Riha, Karl: ›Dem Bürger fliegt vom spitzen Kopf der Hut.‹ Zur Struktur des satirischen Romans bei Heinrich Mann. In: Heinrich Mann. Hrsg. von Heinz Ludwig Arnold. München: Boorberg, 1971. (Text und Kritik. Sonderband.) S. 48–57.

Ritter-Santini, Lea: Der Untertan. Aus dem Italienischen übers.

von Eva Maek-Gerard. In: Literaturmagazin. Bd. 21. Reinbek: Rowohlt, 1988. S. 75–83.

Roberts, David: Artistic Consciousness and Political Conscience. The Novels of Heinrich Mann 1900–1938. Bern / Frankfurt a. M.: Lang, 1971. [S. 84–124.]

Roche, Mark W.: The Self-Cancellation of Injustice in Heinrich Mann's »Der Untertan«. In: Oxford German Studies 17 (1988) S. 72–89.

Rumold, Rainer: Rereading Heinrich Mann's »Der Untertan«: The Seeds of Fascism, or Satire as Anticipation. In: Imperial Germany. Essays. Hrsg. von Volker Dürr [u. a.]. Madison: University of Wisconsin Press, 1985. S. 168–181.

Scheibe, Friedrich Carl: Rolle und Wahrheit in Heinrich Manns Roman »Der Untertan«. In: Literaturwissenschaftliches Jahrbuch N. F. Bd. 7 (1966). S. 209–227.

Scherpe, Klaus R.: ›Poesie der Demokratie‹: Heinrich Manns Roman »Die Armen« als bürgerliche Fiktion einer proletarischen Emanzipation. In K. R. S.: Poesie der Demokratie. Literarische Widersprüche zur deutschen Wirklichkeit vom 18. bis zum 20. Jahrhundert. Köln: Pahl-Rugenstein, 1980. S. 268–298. [Zuerst erschienen in: Germanisch-Romanische Monatsschrift 25 (1975) S. 151–176.]

Scheuer, Helmut: Heinrich Mann: »Der Untertan«. In: Interpretationen. Romane des 20. Jahrhunderts. Stuttgart: Reclam, 1993. (Universal-Bibliothek. 8808.) S. 7–54.

Schlenstedt, Dieter: »Der Untertan« und seine Kritiker. In: Heinrich Mann am Wendepunkt der deutschen Geschichte. Internationale wissenschaftliche Konferenz aus Anlaß des 100. Geburtstages von Heinrich Mann März 1971. Deutsche Akademie der Künste zu Berlin 1971. S. 47–51.

Schlichting, Ralf: Heinrich Mann und Friedrich Nietzsche. Studien zur Entwicklung der realistischen Kunstauffassung im Werk Heinrich Manns bis 1925. Frankfurt a. M. / Bern / New York: Lang, 1986.

Schröter, Klaus: Anfänge Heinrich Manns. Zu den Grundlagen seines Gesamtwerks. Stuttgart: Metzler, 1965.

– Heinrich Mann in Selbstzeugnissen und Bilddokumenten. Reinbek bei Hamburg: Rowohlt, 1967. (Rowohlts Monographien. 125.) [Neuauflage 1983 mit neubearbeiteter Bibliographie.]

– Heinrich Mann. »Untertan«. »Zeitalter«. Wirkung. Drei Aufsätze. Stuttgart: Metzler, 1971.

Schutte, Jürgen: Klassengegensätze und Klassenharmonie in Preußen. Heinrich Manns Roman »Der Untertan«. In: Denkmalsbesetzung. Preußen wird aufgelöst. Hrsg. von Andreas Kaiser. Berlin: Elefanten-Press, 1982. S. 153–169.

Siefken, Hinrich: Emperor William II. and his loyal subject – montage and historical allusions in Heinrich Mann's satirical novel »Der Untertan«. In: Trivium 8 (1973) S. 69–82.

– Heinrich Manns »Der Untertan« und Hermann Brochs »Die Schuldlosen«. Zur Satire und Analyse des ›Spießers‹ als ›Untertan‹. In: Zeitschrift für deutsche Philologie 93 (1974) H. 2. S. 186–213.

Stock, Frithjof: Die Rezeption von Zolas »Rougon-Macquart« in Heinrich Manns »Der Untertan«. Second Empire und Wilhelminisches Kaiserreich. In: Arcadia. Zeitschrift für vergleichende Literaturwissenschaft 13 (1978) H. 1. S. 40–54.

Süßenbach, Petra: Formen der Satire in Heinrich Manns Roman »Der Untertan«. Diss. Köln 1972.

Thomas, Lionel: Heinrich Mann's »Kaiserreich« Trilogy with special reference to »Der Untertan«. In: Proceedings of the Leeds Philosophical and Literary Society, Literary and Historical Section 16,8 (1977) S. 159–181.

Vogt, Jochen: Diederich Heßlings autoritärer Charakter. Marginalien zum »Untertan«, Seiten 5 bis 9. In: Heinrich Mann. Hrsg. von Heinz Ludwig Arnold. München: Boorberg, 1971. (Text und Kritik. Sonderband.) S. 58–69. – Neufassung in: J. V.: Korrekturen. Versuche zum Literaturunterricht. München: Boorberg, 1974. S. 78–95.

– Heinrich Mann I. In: Erhard Schütz / J. Vogt [u. a.]: Einführung in die deutsche Literatur des 20. Jahrhunderts. Bd. 2. Opladen: Westdeutscher Verlag, 1978. S. 30–42.

Weisstein, Ulrich: Heinrich Mann. Eine historisch-kritische Einführung in sein dichterisches Werk. Tübingen: Niemeyer, 1962. [S. 111–141.]

– Satire und Parodie in Heinrich Manns »Der Untertan«. In: Heinrich Mann 1871–1971. Bestandsaufnahme und Untersuchung. Ergebnisse der Heinrich-Mann-Tagung in Lübeck 1971. Hrsg. von Klaus Matthias. München: Fink, 1973. S. 125–146.

Werner, Renate: Skeptizismus, Ästhetizismus, Aktivismus. Der frühe Heinrich Mann. Düsseldorf: Bertelsmann, 1972. [S. 239–247.]

– Heinrich Mann: Texte zu seiner Wirkungsgeschichte in Deutschland. Tübingen: Niemeyer, 1977. [S. 90–116.]

Zeck, Jürgen: Die Kulturkritik Heinrich Manns in den Jahren 1892 bis 1909. Diss. Hamburg 1965.

8. Reden und Erinnerungen Kaiser Wilhelms II.

Die Reden Kaiser Wilhelms II. 3 Tle. Hrsg. von Johannes Penzler. Leipzig: Reclam, [1897–1907]. Tl. 4. Hrsg. von Bogdan Krieger. Ebd. [1913.]

Das persönliche Regiment. Reden und sonstige öffentliche Äußerungen Wilhelms II. Zusammengestellt von Wilhelm Schröder. München: Birk, 1907.

Kaiser Wilhelm II.: Ereignisse und Gestalten aus den Jahren 1878 bis 1918. Leipzig/Berlin: Koehler, 1922.

– Aus meinem Leben 1859–1888. Berlin/Leipzig: Koehler, 1927.

Reden des Kaisers. Ansprachen, Predigten und Trinksprüche Wilhelms II. Hrsg. von Ernst Johann. München: Deutscher Taschenbuch Verlag, 1966.

Reden Kaiser Wilhelms II. Zusammengestellt von Axel Matthes. Nachwort von Helmut Arntzen. München: Rogner & Bernhard, 1976.

9. Sonstige Literatur

Allen, Ann Taylor: Satire and Society in Wilhelmine Germany. Kladderadatsch and Simplicissimus 1890–1914. Lexington: University of Kentucky Press, 1984.

Balfour, Michael: The Kaiser and his Times. New York: Norton 1972. [Zuerst London: Cresset Press, 1964.] – Dt.: Der Kaiser. Wilhelm II. und seine Zeit. Übers. von Karl Heinz Abshagen. Berlin: Propyläen Verlag, 1967.

Bergsträsser, Ludwig: Geschichte der politischen Parteien in Deutschland. München ⁹1955.

Brude-Firnau, Gisela: Wilhelm II. oder die Romantik. Motivübernahme und -gestaltung bei Hermann Broch. In: Zeitschrift für deutsche Philologie 93 (1974) H. 2. S. 238–257.

– Preußische Predigt. Die Reden Wilhelms II. In: The Turn of the Century. German Literature and Art, 1890–1915. Hrsg. von Gerald Chapple und Hans H. Schulte. Bonn: Bouvier, 1981. S. 149–170.

Cecil, Lamar: Wilhelm II. Prince and Emperor, 1859–1900. Chapel Hill / London: University of North Carolina Press, 1989.

Conze, Werner: Die Zeit Wilhelms II. und die Weimarer Republik. Deutsche Geschichte 1890–1933. Stuttgart: Metzler, 1964.

Cowles, Virginia: The Kaiser. New York: Harper & Row 1963.

Das Deutsche Kaiserreich 1871–1914. Ein historisches Lesebuch.

Hrsg. und eingel. von Gerhard A. Ritter. Göttingen: Vandenhoeck & Ruprecht 1975.

Eyck, Erich: Das persönliche Regiment Wilhelms II. Politische Geschichte des deutschen Kaiserreiches von 1890 bis 1914. Zürich: Rentsch, 1948.

Frank, Walter: Hofprediger Adolf Stoecker und die christlich-soziale Bewegung. Berlin: Hobbing, 1928.

Gollwitzer, Heinz: Die gelbe Gefahr. Geschichte eines Schlagwortes. Studien zum imperialistischen Denken. Göttingen: Vandenhoeck & Ruprecht, 1962.

Hartau, Friedrich: Wilhelm II. in Selbstzeugnissen und Bilddokumenten. Reinbek: Rowohlt, 1978 (Rowohlts Monographien. 264.)

Hull, Isabel V.: The Entourage of Kaiser Wilhelm II. 1888–1918. Cambridge University Press 1982.

Juden im Wilhelminischen Deutschland 1890–1914. Ein Sammelband. Hrsg. von Werner E. Mosse und Arnold Paucker. Tübingen: Mohr, 1976.

Die Juden als Minderheit in der Geschichte. Hrsg. von Bernd Martin und Ernst Schulin. München: Deutscher Taschenbuch Verlag, 1981.

Kaiser Wilhelm II. New Interpretations. The Corfu Papers. Hrsg. von John C. G. Röhl und Nicolaus Sombart. Cambridge University Press, 1982.

Keller, Ludwig: Die Freimaurerei. Eine Einführung in ihre Anschauungswelt und ihre Geschichte. Leipzig/Berlin: Teubner, [2]1918.

Kennedy, Paul M.: The Rise of the Anglo-German Antagonism 1860–1914. London/Boston: Allen & Unwin, 1980.

Kiaulehn, Walther: Berlin. Schicksal einer Weltstadt. München/Berlin: Biederstein, 1958.

Kohut, Thomas A.: Wilhelm II. and the Germans. A Study in Leadership. New York / Oxford: Oxford University Press, 1991.

Kracke, Friedrich: Prinz und Kaiser. Wilhelm II. im Urteil seiner Zeit. München: Olzog, 1960.

Ladendorf, Otto: Historisches Schlagwörterbuch. Straßburg/Berlin: Trübner, 1906. Reprogr. Nachdr. Hildesheim: Olms, 1968.

Lange, Annemarie: Berlin zur Zeit Bebels und Bismarcks. Zwischen Reichsgründung und Jahrhundertwende. Berlin: Dietz, [2]1976.

– Das Wilhelminische Berlin. Zwischen Jahrhundertwende und Novemberrevolution. Berlin: Dietz, [2]1976.

Ludwig, Emil: Wilhelm der Zweite. Berlin: Rowohlt, 1925. Nachdr. Frankfurt a. M. / Hamburg: Fischer, 1968.

Mann, Viktor: Wir waren fünf. Bildnis der Familie Mann. Konstanz: Südverlag, 1949. 2., rev. Aufl. Ebd. 1964.

Marcus, Jacob R.: The Rise and Destiny of the German Jew. New York: Ktav Publishing House, 1973. [Zuerst Cincinnati 1934.]

Mommsen, Wilhelm: Otto von Bismarck in Selbstzeugnissen und Bilddokumenten. Reinbek: Rowohlt, 1966 (Rowohlts Monographien. 122.)

Puhle, Hans-Jürgen: Agrarische Interessenpolitik und preußischer Konservatismus im wilhelminischen Reich (1893–1914). Ein Beitrag zur Analyse des Nationalismus in Deutschland am Beispiel des Bundes der Landwirte und der Deutsch-Konservativen Partei. Hannover: Verlag für Literatur und Zeitgeschehen, 1967.

Quidde, Ludwig: Caligula. Eine Studie über römischen Cäsarenwahnsinn. Leipzig: Friedrich, [1894]. [Separat-Abdruck aus: Die Gesellschaft (München). Bd. 10,1 (April 1894). S. 413–430.]

Reventlow, Graf Ernst zu: Kaiser Wilhelm II. und die Byzantiner. München: Lehmann, ⁶1906.

Röhl, John C. G.: Kaiser, Hof und Staat. Wilhelm II. und die deutsche Politik. München: Beck, 1987.

Roper, Katherine: German Encounters with Modernity. Novels of Imperial Berlin. New Jersey / London: Humanities Press International, 1991.

Sagarra, Eda: Theodor Fontane: »Der Stechlin«. München: Fink, 1986 (Text und Geschichte. 20.)

Saitschick, Robert: Bismarck und das Schicksal des deutschen Volkes. Zur Psychologie und Geschichte der deutschen Frage. Basel: Reinhardt, 1949.

Sterling, Eleonore: Judenhaß. Die Anfänge des politischen Antisemitismus in Deutschland (1815–1850). Frankfurt a. M.: Europäische Verlagsanstalt, 1969.

Stürmer, Michael: Das ruhelose Reich. Deutschland 1866–1918. Düsseldorf: Severin & Siedler, 1983.

Taube, Utz-Friedebert: Ludwig Quidde. Ein Beitrag zur Geschichte des demokratischen Gedankens in Deutschland. Kallmünz: Lassleben, 1963 (Münchener Historische Studien. 5.)

Thoma, Ludwig: Die Reden Kaiser Wilhelms II. Ein Beitrag zur Geschichte unserer Zeit (1907). In L. T.: Gesammelte Werke. Bd. 8. München: Piper, 1956. S. 303–319.

Trachtenberg, Joshua: The Devil and the Jews. The Medieval Conception of the Jew and Its Relation to Modern Antisemitism. New Haven: Yale University Press, 1943.

Utz, Peter: Effi Briest, der Chinese und der Imperialismus: Eine ›Geschichte‹ im geschichtlichen Kontext. In: Zeitschrift für deutsche Philologie 103 (1984) H. 3. S. 212–225.

VI. Abbildungsnachweis

Der Verlag Philipp Reclam jun. dankt für die Nachdruckgenehmi-
gung den Rechteinhabern, die durch den Quellennachweis oder einen
folgenden Copyrightvermerk bezeichnet sind. Für einige Autoren
waren die Inhaber der Rechte nicht festzustellen. Hier ist der Verlag
bereit, nach Anforderung rechtmäßige Ansprüche abzugelten.

Vondung, Klaus: Deutsche Apokalypse 1914. In: Das wilhelminische Bildungsbürgertum. Zur Sozialgeschichte seiner Ideen. Hrsg. von K. V. Göttingen: Vandenhoeck & Ruprecht, 1976, S. 153–171.

Wehler, Hans-Ulrich: Das deutsche Kaiserreich 1871–1918. Göttingen: Vandenhoeck & Ruprecht, [4]1980. (Deutsche Geschichte. Hrsg. von Joachim Leuschner. Bd. 9.)

Weller, B. Uwe: Maximilian Harden und die »Zukunft.« Bremen: Schünemann, 1970.

Wendel, Friedrich: Wilhelm II. in der Karikatur. Dresden: Artemis-Verlag, 1928.

Das Wilhelminische Deutschland. Stimmen der Zeitgenossen. Hrsg. und komm. von Georg Kotowski [u. a.]. Frankfurt a. M. / Hamburg: Fischer, 1965.

Kurt Wolff: Briefwechsel eines Verlegers. 1911–1963. Hrsg. von Bernhard Zeller und Ellen Otten. Frankfurt a. M.: Scheffler, 1966.

Zentner, Kurt: Kaiserliche Zeiten. Wilhelm II. und seine Ära in Bildern und Dokumenten. München: Bruckmann, [1964].

Žmegač, Viktor: Kunst und Ideologie in der Gattungspoetik der Jahrhundertwende. In: Germanisch-Romanische Monatsschrift N. F. 30 (1980) H. 3. S. 312–335.

Deutsche Dichter

Leben und Werk deutschsprachiger Autoren

Herausgegeben von
Gunter E. Grimm und Frank Rainer Max

Band 1: Mittelalter

Band 2: Reformation, Renaissance und Barock

Band 3: Aufklärung und Empfindsamkeit

Band 4: Sturm und Drang, Klassik

Band 5: Romantik, Biedermeier und Vormär

Band 6: Realismus, Naturalismus und Jugendstil

Band 7: Vom Beginn bis zur Mitte des 20. Jahrhunderts

Band 8: Gegenwart

Das achtbändige, insgesamt über 4000 Seiten umfassende Werk *Deutsche Dichter* ist deutschsprachigen Autoren vom Mittelalter bis zur jüngeren Gegenwart gewidmet. Auf anschauliche Weise schreiben Fachleute in Beiträgen von 5 bis zu 50 Seiten Umfang über Leben und Werk von rund 300 bedeutenden Dichtern. Ein Porträt des Autors und bibliographische Hinweise ergänzen die einzelnen Darstellungen.

Philipp Reclam jun. Stuttgart

Interpretationen

IN RECLAMS UNIVERSAL-BIBLIOTHEK

Eine Auswahl

Lessings Dramen

*Miß Sara Sampson – Minna von Barnhelm – Emilia Galotti –
Nathan der Weise.* 8411

Dramen des Sturm und Drang

Goethe, *Götz von Berlichingen* – Lenz, *Der Hofmeister* –
Klinger, *Sturm und Drang* – Leisewitz, *Julius von Tarent* –
Lenz, *Die Soldaten* – Schiller, *Die Räuber.* 8410

Erzählungen und Novellen des 19. Jahrhunderts. Band 1

Tieck, *Der blonde Eckbert / Der Runenberg* – Bonaventura,
Nachtwachen – Kleist, *Die Marquise von O …* – Kleist,
Michael Kohlhaas – Hoffmann, *Der goldne Topf* – Chamisso,
Peter Schlemihls wundersame Geschichte – Hoffmann, *Der
Sandmann* – Brentano, *Geschichte vom braven Kasperl und
dem schönen Annerl* – Eichendorff, *Aus dem Leben eines
Taugenichts* – Goethe, *Novelle.* 8413

Erzählungen und Novellen des 19. Jahrhunderts. Band 2

Droste-Hülshoff, *Die Judenbuche* – Stifter, *Brigitta* – Grill-
parzer, *Der arme Spielmann* – Mörike, *Mozart auf der Reise
nach Prag* – Keller, *Romeo und Julia auf dem Dorfe* – Keller,
Kleider machen Leute – Meyer, *Das Amulett* – Storm, *Hans
und Heinz Kirch* – Storm, *Der Schimmelreiter.* 8414

Romane des 19. Jahrhunderts

Tieck, *Franz Sternbalds Wanderungen* – Hölderlin, *Hyperion* – Schlegel, *Lucinde* – Novalis, *Heinrich von Ofterdingen* – Jean Paul, *Flegeljahre* – Eichendorff, *Ahnung und Gegenwart* – Hoffmann, *Kater Murr* – Mörike, *Maler Nolten* – Keller, *Der grüne Heinrich* – Stifter, *Der Nachsommer* – Raabe, *Stopfkuchen* – Fontane, *Effi Briest.* 8418.

Georg Büchner

Dantons Tod – *Lenz* – *Leonce und Lena* – *Woyzeck.* 8415

Fontanes Novellen und Romane

Vor dem Sturm – *Grete Minde* – *L'Adultera* – *Schach von Wuthenow* – *Unterm Birnbaum* – *Irrungen, Wirrungen* – *Quitt* – *Effi Briest* – *Frau Jenny Treibel* – *Der Stechlin* – *Mathilde Möhring.* 8416

Romane des 20. Jahrhunderts. Band 1

H. Mann, *Der Untertan* – Th. Mann, *Der Zauberberg* – Kafka, *Der Proceß* – Hesse, *Der Steppenwolf* – Döblin, *Berlin Alexanderplatz* – Musil, *Der Mann ohne Eigenschaften* – Kästner, *Fabian* – Broch, *Die Schlafwandler* – Roth, *Radetzkymarsch* – Seghers, *Das siebte Kreuz* – Jahnn, *Fluß ohne Ufer.* 8808

Romane des 20. Jahrhunderts. Band 2

Doderer, *Die Strudlhofstiege* – Koeppen, *Tauben im Gras* – Andersch, *Sansibar oder der letzte Grund* – Frisch, *Homo faber* – Grass, *Die Blechtrommel* – Johnson, *Mutmassungen über Jakob* – Böll, *Ansichten eines Clowns* – S. Lenz, *Deutschstunde* – Schmidt, *Zettels Traum* – Handke, *Der kurze Brief zum langen Abschied.* 8809

Philipp Reclam jun. Stuttgart

Erläuterungen und Dokumente

Philipp Reclam jun. Stuttgart

**Heinrich Mann:
Der Untertan
Roman**

dtv

dtv Band 256

Heinrich Manns bekann-
tester, zwei Monate vor
Ausbruch des Ersten
Weltkriegs abgeschlosse-
ner Roman ›Der Untertan‹
erschien zum ersten Mal
1918 und hatte einen
durchschlagenden Erfolg.
Die Zeit war damals reif
für dieses Buch, für diese
»Bibel des Wilhelmini-
schen Zeitalters«. Über-
zeugender jedoch als der
Erfolg von damals ist, daß
das Buch nach Jahrzehn-
ten die gleiche Aktualität

besitzt, daß es heute noch
als Diagnose Gültigkeit hat.
Setzt man statt »Untertan«
Opportunist, Mitläufer
oder Konformist, sieht
man von einem gewissen
Zeitkostüm ab, so hätte
der Roman ebensogut 1933,
1945 oder heute geschrie-
ben werden können. Gleichgültig, wie man den Typ
interpretiert, den Heinrich
Mann hier zeichnet –
unbezweifelbar bleibt, daß
er in Diederich Heßling
eine typisch deutsche Figur
geschaffen hat: den
Obrigkeitshörigen, den
Unpolitischen ohne Mut
und Zivilcourage. Darüber
hinaus macht das Buch
deutlich, mit welcher Mei-
sterschaft Heinrich Mann
zu erzählen versteht,
bestechend in der psycho-
logischen Beweisführung
und ironisierenden Distan-
zierung. ›Der Untertan‹ ist
ein großer Roman und
mehr noch: er zählt zu den
bleibenden Erziehungs-
büchern der deutschen
Literatur.

dtv

Deutscher
Taschenbuch
Verlag